우울의 바깥을 향하며

우울의 바깥을 향하며

두루 산문집

글의 순서

—

—

독백 모임

이토록 하찮은

어느 날 문득, 다시

잘 사는 게 뭐냐고 물어보셔서요

겁이 많아서 삽니다

- 단상3 -

걸어보자

네, 저 아파요

이목구비 스마트하고 이뻐 깔끔해

다 먹고 살려고 하는거지

사실

- 단상4 -

一

할 수 있는 만큼만

내 책을 보고

사랑의 확장

나도 사랑을 하고 싶습니다

밤바다의 사람들

고백하자면

- 단상5 -

어느 날의 모닝페이지

카드 지갑

속 시끄러운 이야기

나는 누군가에게

- 단상6 -

—

그 어떤 삶도 계속 흐르니까
삶을 아로새기며
물 속으로 뛰어드는 새를 보며
다 저마다의 이유가 있을 텐데
- 단상7 -

나는 무얼 위해 멈춰있는가
잘 살고 싶은 마음
어쩌면 괜찮을지도 모르겠다
늘 함께 공존하는 것들
- 단상8 -

—

감사 인사

당신의 마음에 가닿기를

우울의 바깥을 향하며

지독하게 가라앉는 날이 있다. 왠지 내가 최악인 것만 같은 그런 날. 괜히 짜증이 솟구쳐 올라 꼭 해내야 하는 일도 쉽게 망치게 된다. 그런 나를 스스로 견디지 못해 자책하게 되는 아주 끔찍한 하루. 이 세상에 가장 처량한 주인공이라도 된 마냥 축 처진다. 결국 자신을 파괴하는 방향으로 나아가는 생각들. 그러다 보면 우울은 더 깊어진다. 이토록 우울은 나를 조금씩 갉아먹는 것이다.

한 번 나를 옥죄어 버린 우울은 쉽게 놓아주지를 않았다. 도망치려고 발버둥 치면 어디를 가냐며 다시 바짓가랑이를 잡고 늘어지곤 했다. 떨쳐내려고 하면 더 세게 쥐고 흔들었다. 당최 이 우울이란 것은 익숙해지지를 않는다. 이제는 익숙해질 법도 한데 말이다. 극복하고 싶어도 이게 마음처럼 되지 않는다. 이제는 아주 잘 아는데. 우울이 찾아올 때쯤이 되면 몸살이 오기 전, 몸이 으슬으슬 떨리듯 마음이 요동치니까.

의지대로 되지 않는다는 것을 아주 잘 알면서도 마치 이 힘든 시기를 보내고 있는 게 다 내 의지가 약한 탓인 것만 같은 기분이 든다. 그럼 또 더 우울해진다. 더 침잠한다. 다시 우울의 지독한 무한 고리에 걸려버리고 마는 것이다.

글을 쓰고 있는 지금도 사실은 나는 우울하다. 그럼에도 불구하고 해내야만 하는 일이 있고 그것에는 또 마감이 있다. 이 우울을 눈치채고도 다시 우울의 바깥을 향해야만 한다. 가라앉은 마음을 끌어올려 이 글에 담아내고 또 현관문을 열고 밖을 나서야 하는 것이다. 이 단단한 고리를 짊어지고.

나는 우울의 바깥을 향하고 있다.

지금의 나는 제법 우울의 바깥을 나서는 데에 능숙해진 것 같다. 열리지 않을 것만 같던 현관을 열고 밖을 향했다. 그곳에는 다른 삶이 놓여있다.

신선한 공기, 눈이 부실 정도의 밝은 볕, 환하게 웃어주는 사람들.

어둠이 가득했던 방을 벗어나기 전에는 몰랐던 것들. 삶의 전부인 줄만 알았던 칙칙하고 어두운 것들과는 정반대의 존재들이 살갗을 간지럽힌다.

많은 것이 달라졌다.
아주 천천히, 그리고 부드럽게.

먼저 살이 빠졌다. 인생 최대 몸무게를 찍었던 때, 가장 마음이 지옥 같았던 시기였다. 조금씩 나아지기 시작하면서 거의 10킬로 그램이 빠졌다. 당연히 보는 사람마다 살이 왜 이렇게 많이 빠졌냐며 놀랐다. 자연스럽게 거울을 보는 시간이 늘었다.

그간 자신을 가장 혐오했었기에 딱히 내 모습을 마주할 일이 없었다. 아니, 그러고 싶지 않았다는 표현이 맞을 것이다. 어차피 최악일 테니까. 그런 내가 이제는 자주 나를 마주한다. 자주 외모를 점검한다. 옷매무새를 다듬고 머리를 쓸어 넘겨 단정함을 유지하려 한다. 이제는 외출 전, 꼭 거울을 확인한다.

또, 내 모습을 자주 찍어두려고 한다. 뭐 딱히 잘생기거나 보기 좋아서 그런 것은 아니다. 단지 지금의 내 모습을 객관적으로 바라보기 위함이다. 지금의 나를 가장 사랑해 주고 싶기 때문이다. 가장 이 모습을 사랑해야 하는 것이 바로 나이기 때문에.

실제로 이 별것 없는 행위가 도움이 많이 되고 있다. 이목구비의 형태, 주름의 깊이, 눈매의 날카로움 정도, 입꼬리의 부자연스러움. 모든 것이 내게는 지금의 나를 탐구할 수 있는 힌트가 된다.

결국 이 모든 것은 나를 사랑하는 과정.
그동안 미뤄왔던 일을 하는 일인 것이다.

앞으로도 나는 자주 우울의 바깥을 향할 것이다. 서두르지 않고 침착하고 조용하게, 그러나 당차게 자주 집 밖을 나서려고 한다. 이 우울이 나를 집어삼키지 못하게 가만두지는 않겠다. 그것이 곧 나를, 내 삶을 사랑하고 책임지는 것임을 잘 아니까.

삶이 내게 시련을 준다면 나는 기꺼이 맞이하고 싶다. 조금 더 담담하고, 침착하게 말이다. 그 시련이 아직은 얼마나 깊고 고통스러운 상흔을 남길지는 모르겠다.

그러나 어쩌겠는가. 사는 동안 고난의 시간은 꼭 찾아오기 마련이다. 그것을 오롯이 감당해 내야 하는 이 나약한 몸과 마음을 이끌고 가야 한다. 생의 끝에 다다랐을 때 이 지독하고 지옥 같은 우울의 시간이 기억도 안 날 만큼 까마득한 하나의 작은 사건에 지나지 않겠지만, 나는 현재를 살고 있기에 지금의 내가 감당할 수 있는 정도로 의연하게 받아들이고 싶다.

내가 알잖아

정성스럽게 씻은 자두를 한 입 베어 물기 전에 얼굴을 싱크대 쪽으로 들이민다. 혹 과즙이 흘러내려 옷에 묻을까, 바닥에 떨어질까 염려되어서다.

그러면서 남은 자두를 예쁜 접시에 옮겨 담는다. 또 먹을 때는 예쁘게 먹고 싶은 거다.

참 웃긴 사람.
흘릴까 대충 싱크대에 서서 먹기도 하고
그걸 또 예쁘게 담아 내기도 하는,
나란 사람은 알다가도 모르겠다.

이효리와 이상순의 이야기가 생각난다.

어느 날 함께 의자를 만들다 이상순이 의자의 아랫부분을 열심히 사포질하는 걸 보고는 이효리가 거긴 보이지도 않는 데 왜 그리 열심히 하느냐고 하자 이상순의 말,

"내가 알잖아."

맞다. 내가 알지. 그 누가 알아주는 것이 중요한 것

이 아니라 내가 중요한 거다. 그 기준이 타인에게 있는 것이 아니라 나에게 있는 거다.

어떠한 판단의 기준이 늘 나에게 있는 것.

나는 여태 얼마나 타인의 눈을 바라보며 살았던 가. 정작 자기 눈은 똑바로 바라보지 못하면서 얼마나 많은 이의 눈치를 봤었나. 한동안 머리를 얻어맞은 것 같이 멍했다.

그날 이후 나는 모든 것의 기준을 내게 두려고 한 다. 의자의 아래를 보듯, 나를 이루는 것들을 나의 시 선으로 바라보려고.

그 누구에게 보이고 싶은 모습이 아닌,
있는 그대로 내 모습,
오늘 이곳의 나에게 집중해 본다.

요리를 해 먹을 때 더욱 정성을 쏟는다.
운동을 나서 달리는 동안에 내 컨디션을 고려한다.
옷을 고를 때에도 그 누구에게 보이고 싶은 모습이 아닌 오늘 내가 입고 싶은 옷을 입는다.

이끌려 가는 삶은 싫으니까.

결국에는,
삶을 주체적으로 이끌어가고자 하는 마음.
그 누가 알아주기를 바라는 삶이 아닌,
내가 아는 삶.

요즘은,
적어도 지금의 나에게는,
그것이 정말 내 삶을 사는 것만 같다.

보잘것없는 하루

"엄마, 사실 어제 내 생일이었어."

세상 그 누구도 태어난 순간을 기억하지 못했던 날. 별일 아니라는 듯, 그 사실을 담담하게 엄마에게 말했다. 나중에 이 사실을 알게 된다면 나보다도 더 미안해할 엄마를 위해서. 생일 따위 별로 중요하지 않았기에 정말 괜찮았는데, 그래도 아셔야 할 것 같았다. 분명히 엄마가 더 가슴 아파하실 것 같아서 빙그레 웃어 보이기까지 했다.

아직도 엄마는 그때의 일을 미안해하신다.

매해 여름이 되면 어김없이 찾아오는 생일. 특별할 것도 딱히 기대할 것도 없지만 괜스레 좋은 일이 있을 것만 같은 기분. 무더운 한여름의 가운데에 놓인 생일은 야속하게도 매번 여름방학 중 있었으므로 그리 큰 일이 벌어지진 않았다. 친구들이 모르고 지나가는 건 기본이고 그 누가 안다고 해도 딱히 성대한 축하 파티가 열리는 일은 많지 않았다. 그래서 보통은 가족과 함께 보내곤 했는데 그날도 그럴 줄 알았더랬다.

그날은 유독 아침부터 날이 좋았던 것으로 기억한다. 내리쬐는 뜨거운 햇볕은 살랑이는 커튼 사이로 바람을 가르고 방으로 들어왔다. 눈이 부셔 깬 건지, 너무 더워서 깬 건지는 모르겠지만 왜인지 모르게 상쾌했다.

터덜터덜 문을 열고 나선 거실. 일찍이 일을 나가신 아빠가 없어 괜스레 허전해 보이는 소파. 맞은 편에 늘 그의 시선이 향하던 티브이에서는 일일 연속극이 나오고 있었다. 아무래도 엄마가 틀어놓으신 거겠지. 그 소리에 묻혀 잘 들리지 않던 소리. 보글보글 끓는 찌개. 엄마는 언제부터인지 가족들이 먹을 음식을 정성스레 하고 계셨다. 코를 간질이는 된장 냄새가 온 집안에 퍼질 때쯤, 문득 오늘 생일상은 역시 집밥인가 하며 즐거운 상상을 했다.

그렇게 하루가 갔다. 자정이 되도록 어떤 일도 일어나지 않았다. 어떤 이의 축하도, 선물도, 생일상도 없었다. 그저 그런 지루한 오늘이 지나갔을 뿐이었다. 오히려 다른 날보다도 더 적막하고 어두운, 별 볼 일 없는 날.

이후 아, 생일이란 것은 그저 평범한 날 중 하나일 뿐, 그 이상 그 이하도 아니라고 생각했다. 유난을 떨

것도, 기대할 것도, 아쉬워할 것도 없었다. 어른이 된 지금도 내게는 생일이라는 것이 큰 의미로 다가오진 않는 것도 그때부터였을 것이다.

사실, 알고 있었다. 우리 집이 이런 사소한 기념일을 챙기기에 그리 여유롭지는 않다는 것을. 이혼을 겪으며 자식 둘을 데리고 나와 가정을 꾸려야 했던 엄마. 2교대 일을 하며 정신없는 와중에도 최선을 다해 자식 둘을 남부럽지 않게 키우시다 만난 좋은 사람과 다시 한 가정을 만들기 위해 부단히 애쓰셨을 것이다. 삶이 큰 파도처럼 그에게 다가오는데 어찌 모래사장 위 예쁜 모래성이 보일 수 있겠는가. 그저 파도에 휩쓸릴 작은 존재에 불과할 텐데.

그에게는 삶이 그랬을 것이다.
한 가정의 가장이자
어린 남편의 아내,
두 자식의 엄마.

늘 어떤 이의 누군가가 되어야 했던 그에게 작은 행복은 사치에 불과했을지도.

이제는 안다. 생일은 낳아 준 이에게 감사함을 표

하는 날이라는 걸. 무더운 한여름의 대구에서 한 생명을 세상에 태어나게 한 엄마는 그 누구보다도 축하받아야 할 사람이었다. 그런데도 늘 미안해하는 그에게 나도 이제는 미안함부터 든다.

생일이 뭐라고. 더 중요한 것이 있었는데.

중고로 산 책의 어느 페이지

그 언젠가 중고로 구매해두었던
책을 읽고 있는 요즘
어느 페이지의 오른쪽 아래 구석
누군가가 정성스럽게 접힌 부분을 보며
문득 든 생각.

이 한 권의 책이 내게 오기 전
누군가의 품에서 소중한 친구가 되어주었겠구나.
누군가의 마음을 탐독하고 느끼며
또 책 속의 다른 누군가와 끊임없이
교감을 나누었겠구나.

정성스럽게 접혀진 부분을 다시 하나씩 펴내며
저자의 마음과 독자의 마음
그리고 지금의 내 마음 모두 잠시 느껴본다.

현실이 비현실적일 때

한여름의 대구.

　　마치 찜질방을 방불케 하는 짜릿한 무더위를 만끽할 수 있다. 벌써? 싶은 정도로 이른 시기부터 반팔과 반바지 차림으로 길을 거니는 사람들. 발아래 아스팔트에는 불을 지펴 익히는 듯 이글이글 아지랑이가 피어오른다. 근처의 길을 걷고 있는 커플의 대화는 마치 싸우는 것처럼 들린다. 가뜩이나 센 억양의 대구 사투리가 더운 날씨의 열기를 더해 더 화를 내는 것처럼 느껴지는 듯하다. 집을 나선 지 얼마 되지도 않은 것 같은데 벌써 티셔츠는 땀으로 흥건하게 젖는다. 회색 옷을 입고 오지 않길 잘했다는 생각이 든다.

　　이렇게 무더운 대구에서 학창 시절을 보내던 시절. 당시 에어컨은 고사하고 선풍기조차 제대로 없었다. 천장에 매달린 넉 대의 선풍기만이 교실에 뜨거운 바람을 뿜어댈 뿐이었다. 그런 곳에서는 아무리 공부가 좋다고 하더라도 온전히 집중을 할 수 없었다. 뭐, 그리 공부를 열심히 하는 학생은 아니었지만서도 무더위 앞에서는 그냥 앉아 있기도 참 고역이었다.

그런 내게 간절히 기다리던 순간이 있었으니
바로 여름방학

뭐, 방학이라고 해서 그리 특별한 것을 하는 것은
아니었다. 그저 학교에 가야 할 시간에 늦잠을 자고
느지막이 눈 비비며 일어나는 행복. 괜히 열어 본 냉
장고에서 발견한 요구르트의 입구를 콕 뚫어 꼴깍 털
어먹으며 소파에 털썩 몸을 던지고 또 뭐 먹을 거 없나
하며 여러 차례 냉장고 문을 열다 엄마에게 들켜 잔소
리 듣고는 시무룩해져 입술을 삐죽 내밀며 다시 소파
에 몸을 던진다. 티브이를 켜고 이리저리 채널을 돌리
며 볼만한 프로를 찾고 어머니가 썰어주신 수박을 야
무지게 먹는. 그런 평범한 일상을 보내는 게 내게는 큰
행복이었다.

그러다 여행을 자주 다니는 작은 이모네 가족들이
또 어디론가 간다는 소식이 들리면 어김없이 엄마는
같이 따라갔다 오라 하셨다. 당시 교대 근무를 하시던
엄마는 가족들과 함께 자주 여행을 가지 못하는 것을
못내 미안해하셨던 것 같다. 그래서 나는 종종 작은이
모네 가족의 여행에 함께 가곤 했었는데, 왜인지 모르
게 누나는 매번 함께 가지 않았던 기억이 난다. 지금
생각해 보면 누나는 알아서도 곧잘 친구들과 잘 지냈
고 또 당시 누나는 작은이모네 가족과 그리 왕래가 있

었던 편도 아니었기에 굳이 따라나서지 않았던 것 같다.

자주 갔던 대구의 근교에 거창 수승대라는 캠프장이 있었다. 기억에 나는 날이 있는데 그날은 이모네 가족뿐 아니라 삼촌네 가족, 우리 가족 모두 함께 여행을 떠났다. 차를 타고 도착한 곳에서는 귀가 아플 정도로 울어대는 매미 소리가 반겨주었다. 서로 마주 보고 있는 흙바닥으로 된 야영장의 가운데로 제법 너비가 꽤 되는 천이 흐르고 있었다. 예약한 장소로 이동해 각자 가져온 텐트를 설치했는데 당시 텐트가 없던 우리는 이모네의 아주 큰 텐트에 함께 신세를 지게 되어 있었다. 이모부는 큰 가방 여러 개를 트렁크에서 꺼내시더니 마치 자연스러운 일인 것처럼 척척 설치를 시작했다. 얼마 지나지 않아 완성 되어가는 그것은 어린 내게는 거의 큰 집과 같았다. 부엌도 있는 그 텐트는 정말 열 명도 잘 수 있을 것만 같았다. 그래서 그런 걸까? 성인이 된 지금도 텐트를 비롯한 캠핑 장비에 대한 로망이 있는 듯하다. 캠핑을 자주 가지는 못하더라도 자주 가고픈 열망은 늘 마음속에 있다.

나를 포함한 또래 사촌들은 투명 공에 바람을 넣어달라고 이제 막 텐트 설치를 마친 이모부를 졸라대었다. 공이 완성되자마자 또 보트에 바람을 채워달라고 보챘다. 다정한 이모부는 싫은 내색 없이 아이들의 요구를 들어주었고 그 덕에 우리는 흙바닥에 누워 떼를 쓰는 수고를 덜 수 있었다.

생각해 보면 친척 간의 관계가 좋았던 것이 아이들에게는 큰 행운이었던 것 같다. 이모와 삼촌, 즉 엄마의 남매들끼리 관계가 돈독했기에 친척들 간의 사이도 자연스럽게 좋았다. 어릴 적부터 그 모습을 보며 자라온 우리는 그것이 당연하다고 여겼다. 그 덕에 또래였던 우리 사촌들은 꽤 친했었기에 자주 보지는 못하더라도 만나면 친하게 잘 지내곤 했다. 그날도 너나 할것 없이 물에 뛰어들어 즐겁게 놀았다.

사촌 동생 둘은 공놀이하다 역시나 오빠의 제멋대로인 행동에 서운해 울음을 터트리고 한쪽에서 보트를 타고 밀어주고 끌어주기도 했다. 그 사이 텐트에서는 이모와 엄마가 정성스럽게 싸 온 음식들을 하나둘 꺼내어 요리했다. 소시지를 구우며 혹여나 아이들이 다칠까 염려되어 눈을 떼지 못하셨던 기억이 난다. 이내 완성된 소시지를 먹으러 나오라는 부름에 우리는 물을 뚝뚝 흘리며 올라와 집게로 집어 입에 넣어주는 대로 받아먹곤 했다.

그 순간에, 친척들과 사촌들이 한데 모여 좋은 시간을 보내고 맛있는 것도 먹으며 웃고 떠드는 것이 그렇게도 행복했다. 한여름의 대구에서 잠시 벗어나 시원한 물에 뛰어들어 놀 수 있고 늘 보고 싶던 사촌들과 함께 노는 것이 참 즐거웠다.

아직도 이런 기억들은 내게 남아 종종 살아가는 힘이 되곤 한다. 가끔 현실이 너무 비현실적이다 싶을 정도로 괴롭게 할 때, 간절히 지금 이곳에서 벗어나고 싶을 때 떠올려 보곤 하는 행복한 기억들이 다시 나를 다독인다. 그땐 그랬었다고. 네게도 아무 걱정 없이 즐거웠던 때가 있었노라고. 다시금 엉망진창이 된 생각을 제 방향으로 돌려놓곤 한다.

이제는 행복이란 뭔지 끊임없는 물음 속에 살지만, 해답 없는 물음 속에서 헤맬 때면 삶은 넌지시 기억의 한 장면을 내민다. 숨이 턱 막힐 정도로 힘들다면 그때 한 번쯤 꺼내보라고. 그러면 좀 나을 거라고. 삶은 해답 대신 잊은 듯한 기억의 한 조각을 툭 던진다.

나는 아직 행복이 무언지 잘 모른다. 어떻게 해야 하는지, 어디를 향해야 하는지는 잘 모르겠지만, 원하는 곳을 향하다 보면 그 관성으로 행복에 가까워질 수 있다고 믿는다. 할 수 없을 것만 같던 일도 경험이 쌓이고 조금 익숙해지면 언제 그랬냐는 듯 척척 해내는 것처럼, 행복을 찾는 일도 그 언젠가는 익숙해져서 행복을 척척 해내고 있으면 좋겠다. 누군가는 꼭 행복해야 하냐고 할 수 있지만, 나는 꼭 행복하고 싶다. 아니, 뭔지는 알아야겠다.

그 끝은 아직 모르겠지만

이제는 삶을 긍정하는 방향으로 나아간다.

예컨대 차가 막히는 퇴근 시간에 운전하게 되더라도 항상 최악의 상황을 염두에 두고 있다 보니 어느 정도 막히는 건 그저 감사할 일이다. 한 시간 정도 걸리겠거니 했더니 30분 만에 도착했으니까.

또 이제는 관계에 큰 기대를 하지 않는다. 누군가 부정적인 영향을 미치더라도 이건 그저 그의 생각일 뿐 내 생각은 아니니까 괜찮다. 그것이 나를 어찌하지는 못하는 것이다.

'그래서 어쩌라고.'
늘 되새기는 말이다.

차가 막히면 어쩌라고. 어차피 집에 가야 하고 얼마나 걸리든 목적지를 향해야 하는 사실은 변함이 없다. 또 저 사람이 무슨 말을 하든 어쩌라고. 그 말이 나를 어찌하지 못한다는 사실은 분명한데. 이 모든 것이 나를 부정적인 생각으로 이끌지 못하는 것이다. 그저 모든 것은 나 이외의 것이니 그것이 내 생각을 휘젓지 못하게 둔다.

한때는 모든 생각의 흐름이 부정을 향하던 때가 있었다. 별것 아닌 일에도 쉽게 흔들리고 생각을 내맡겼다. 가령 간당간당하던 신호가 몇 걸음 앞에서 빨간색으로 바뀌었을 때. 짜증이 치밀어 올랐다. 이 거지 같은 세상은 역시나 나를 못살게 구는군! 하며 세상 탓을 했다. 또 상대의 평범한 말에서도 부정의 흔적을 굳이 찾아냈다. 이는 오해를 불러일으키고 곧잘 다툼으로 이어지곤 했다.

뭐, 이것 말고도 다양한 일들이 있었지만, 중요한 것은 부정의 늪에 빠졌을 때는 쉽게 벗어나지 못했다는 것이다. 세상 모든 것이 다 나를 반하고 있다고 생각했으니까.

삶의 방향성을 이야기할 때 나는 곧잘 모르겠다며 고개를 젓고는 했다. 그러나 지금은 어느 정도는 명확하게 설명할 수 있을 것 같다.

아직도 끝은 모르겠으나 발을 뻗어 향하는 발아래 길이 틀리진 않았다는 것. 여러 갈래의 길일지라도, 망설이게 될지라도 나는 몇 번이고 기꺼이 방황할 것이다. 또 어딘가로 향하는지는 모르겠지만.

커튼콜

나는 자주 척을 한다. 아마도 그건 실제로는 그렇지 못하기 때문일 것이다. 만약 되고자 하는, 보이고 싶은 모습 그대로인 사람이라면 굳이 척을 하지 않아도 될 것이다. 있는 그대로 삶을 살면 그만이다. 그러나 그러질 못하기 때문에 자주 척을 한다. 뭐, 그것이 물질적인 과시를 위한다거나 누군가를 기만할 목적인 것은 아니다. 단지 자신의 마음을 지키기 위해서다. 역설적으로 마음을 지키기 위해 마음속에 비밀을 간직한다.

나에게는 무수히 많은 자기방어 기제가 존재하는데 그중 가장 삶에서 중요하고 큰 부분을 차지하는 것은 누구에게도 폐를 끼치지 않으려 한다는 것이다. 그것이 남을 향할 때는 정도가 비교적 약한 편인데 애석하게도 가장 가까워야 할 가족에게는 아주 강력하게 작용한다. 여기서 많은 척을 하게 된다.

괜찮은 척, 잘 사는 척, 행복한 척, 건강한 척...

늘 가족들에게는 베테랑 연기자가 되어야만 한다고 생각했다. 특히 부모에게는 착한 아들이 되어야 한다는 강박이 있었다. 그들의 눈에는 그저 바르고 건강하고 착한 아들이기를 간절히 바랐다. 어릴 적부터 부단히 해온 덕에 꽤 그 척을 잘하는 편이라고 생각하는 편이다. 그래서 지금까지는 이 비밀을 들키지 않고 고이 간직하며 살아왔다. 그리고 여태껏 그랬듯이 앞으로도 이 비밀을 잘 간직할 수 있을 줄만 알았다.

그러나 삶은 늘 그렇듯 원하는 방향으로만 흐르지는 않는다. 잘 다니던 회사를 그만두고 하고 싶은 일을 하겠다며 선언한 후로 많은 것이 바뀌었다. 그중 하나는 더 이상 가족들에게 척을 할 수도, 그럴 필요도 없어졌다는 것이다. 이제는 그저 있는 그대로 모습을 보여주는 것. 그것이 가족을 위해서, 나를 위해서 중요한 일이 되었다. 하고 싶은 일이 글을 쓰고 책을 만드는 것인데 이 일에는 진심이 가장 중요하다는 것을 깨닫고는 이제는 더 이상 척을 할 수 없겠다 싶었다. 특히 삶에서 가장 중요한 부분을 차지하는 가족에게는 더욱.

드디어 가족들에게 퇴사를 알렸다. 나는 퇴사를 했노라고, 이런 책을 만들었고 또 다음 책을 준비하고 있노라고. 좋은 사람들과 함께 일을 하고 있고 팟캐스트를 하고 있으며…. 괜찮은 척하지 않았고 잘 사는 척도 하지 않았다. 행복하다고도 건강하다고도 하지 않았다. 그저 있는 그대로 현재의 나를 담담하게 알렸다. 그래서였을까. 아버지와 어머니는 놀랍게도 담담하게 받아들이셨다. 아들이 이런 재주가 있는지 몰랐다고 하시며. 응원하겠다고 힘들면 언제든 이야기하라시며. 아들의 선택을 존중하고 있는 그대로 모습으로 바라봐 주었다.

왈칵 쏟아지려는 눈물을 애써 참으며 웃어 보였다. 글쎄 이 마음이 무언지는 잘 모르겠으나 한 가지 확실한 것은 왠지 모르게 아들이 하질 않으니 내 앞의 두 분이 연기를 하는 것만 같았다. 아들이 혹시 마음이 불편할까 봐 눈치를 살피시며 괜찮은 척, 섭섭하지 않은 척을 하시는 것만 같았다. 그게 참 마음이 뭉클했다.

이제는 마음속의 비밀을 간직하지 않으려 한다. 더 이상 척을 하지 않아도 되니까. 이제는 그저 있는 그대로의 내 모습으로 살고 싶다. 사실 그래야 하지 않는가. 나는 나인 걸. 괜찮지 않은 것도, 잘 살지 못하는 것도, 행복하지 않은 것도, 건강하지 않은 것도 다 나인 것을.

불량 가족 구성원

인생을 통틀어 절대 빼놓을 수 없고 떼어내려야 도통 떼어낼 수 없는 것이 있다면 단연 가족이 떠오른다. 애달픈 삶에서 내 맘대로 할 수 있는 게 얼마나 있으랴마는 그중에서도 특히 이 가족이란 것이 애석하게도 더욱 그렇다. 이 세상에 당차게 울음을 내지르며 태어난 순간부터 결정되어 버리는 불가항력과 같은 것. 태어나보니 나의 부모, 형제가 결정되어 버리는 것. 이 세상의 이치가 그러한 것을 어찌할 방도가 없다.

태어남과 동시에 원하든 원치 않든 하나의 구성원으로 역할을 충실하게 수행하도록 만들어진다고 생각하니 삶이란 것이 운명을 타고나는 것은 아닌지 한 번쯤은 의심해 본다. 사실 운명을 잘 믿는 편은 아닌데도 그것 말고는 이 어찌 설명할 수 있을까 싶다.

내 가족은 4인으로 구성되어 있는데, 보통의 다른 가족들처럼 각자의 뚜렷한 개성을 지닌 개개인의 집단이라 할 수 있겠다. 굳이 특별한 점이 있다면, 이혼과 재혼을 겪었다는 것이겠다.

이 다소 평범하고 특별한 가족 구성원으로는, 이혼 가정인 우리를 거두어 품에 안고 여태 가족을 위해 헌신한 아버지, 억척스럽게 두 자식을 데리고 삶을 이어

가기 위해 애쓰며 두 자식을 키워내신 어머니, 그리고 뭐가 좋다고 어머니의 뒤를 이어 이혼의 아픔을 겪고 다시금 새 삶을 살아내려 하는 누나가 있다. 아, 나머지 하나는 뭐 얼마나 대단한 일을 하겠다고 그렇게 가고 싶어 하던 대기업 회사를 때려치우고 나와 이렇게 고군분투하는, 훌륭한 아들이자 동생이 있다.

한 가족의 구성원으로, 부모님의 아들이자 누나의 동생으로 살아온 내 인생은 꽤 평범했다.

태어날 때부터 시작된 막내의 삶. 늘 가족의 눈치를 봤던 것 같다. 자식 둘이 있는 어머니를 품어 준 아버지에게는 늘 미안함과 존경심이 있었고 우리 둘을 포기하지 않고 품에 안고 이 가정을 지켜 온 어머니에게는 늘 죄책감과 알 수 없는 연민이 있었다.

한 사람으로서가 아닌 이 가족의 일원으로 부모에게는 말썽부리지 않고 믿음직한 아들이, 누나에게는 그저 착한 동생이 되기를 바랐다. 아니, 그렇다기보다는 그래야만 했던 것 같다. 그것이 어린 막내에게는 유일하게 가족을 위해 할 수 있는 일이었으니까. 그것이야말로 이 가족 구성원으로 제대로 역할을 해내는 것만 같았다.

그러던 어느 날, 부모님은 우리 집의 형편에 관해 이야기하며 더 가능성이 있어 보이는 내게 대학에 가라 하셨고, 누나에게는 대학을 보낼 수 없다고 못을 박았다. 그 선택이 훗날 자식들의 미래에 어떤 영향을 주게 될지는 모르셨을 테지. 아니, 설령 알았다고 해도 어쩔 수 없었을 것이다. 아마 엄청난 고민을 거듭해 주어진 상황에서 최선의 선택을 하셨을 것이다. 그 결정이 이 가족을 지키기 위해서였을 것이다.

그렇게 결국 아들은 대학엘 갔다. 비록 그리 좋은 곳은 아니긴 했지만. 누나는 엄마의 통보(?)대로 상업고등학교를 졸업하고 바로 대기업에 취직했다. 대학엘 가지 않고 바로 취업을 한 것이다.

생각해 보면 누나는 참 대단했다. 어쩌면 나보다도 훨씬 머리가 좋고 공부를 잘했던 것 같다. 대학을 위해 공부하던 아들은 그저 그런 국립 지방대에 겨우 들어간 데 반해 누나는 고등학교 때도 좋아하던 춤을 추고 친구들과 함께 잘 지내며 공부까지 열심히 해 대기업에 들어간 걸 보면 부모님의 눈이 틀렸던 것이 틀림없다. 오히려 가능성에 투자하고자 한다면 누나를 택했어야지. 아들은 사실 죽도록 공부가 하기 싫었다. 꿈도 목적도 없는 공부가 너무나도 재미없었다. 그렇게 들어간 대학 덕분에 지금까지 밥 벌어 먹고살았으니, 이제는 무한히 감사하지만.

나이가 들어 군대에 가야 할 적에는 온 가족이 진주 공군 훈련소로 향했다. 입영 절차를 마치고 안내를 따라 오르막길을 오를 때 돌아본 가족 중, 그 누구도 눈물을 훔치거나 슬퍼하는 기색이 없었다. 왜인지 이 세상에 슬픈 사람은 나뿐인 것만 같았다. 괜스레 멋쩍었다. 역시나 우리 가족은 이리 냉철하고 냉정한 사람들인데 나만 감성에 젖어 슬퍼하고 있으니 말이다.

　그렇게 들어간 훈련소에서 열심히 훈련받고 집에 편지를 보내라기에 몇 자 적어 보냈다. 답장이 왔다. 평소 글씨를 잘 쓰지 못하신다며 늘 글을 써야 하는 때에는 나의 글을 빌리시던 어머니의 자필로 쓰인, 생전 받아본 적 없던 편지를 받아 들고는 눈물이 왈칵 쏟아졌다. 그러나 편지의 말미에 적힌 그 말에 다시금 어머니의 강단을 볼 수 있었다.

　'편지는 이제 더 이상 쓰지 않겠다.'

　역시 우리 엄마였다. 새삼스럽지 않고 자연스러웠다. 아직도 군대 이야기가 나오면 괜스레 자랑처럼 이야기 꺼내고는 한다. '우리 엄마는 말이야…'하며 웃으며 이야기한다.

　그러나 사실은 참 그게 서운했다. 다른 엄마들은 이렇게 아들을 걱정해 수시로 전화를 걸어 아들의 안부를 묻고 편지로라도 마음을 전하려고 하는데. 우리 엄마는 나를 강하게 키우고 싶은 건가.

그러나 후에 들은 바로, 엄마는 아들을 훈련소로 들여보내고는 우셨다고 했다. 아들이 보는 앞에서는 그러지 못하시고.

아직 편지의 마지막 말에 관해서 물어보진 못했지만, 감히 추측해 보자면, 뭐 아들이 꽤 잘 지내 보이기도 했거니와 공군이니 자주 휴가를 나올 수 있다는 생각에 안심이 되셨던 건 아닐지 싶다. 그렇게 믿고 싶다.

아버지에 대한 기억을 떠올려 보자면, 참 올곧고 정직한 사람이었다. 그러니까 내가 중학교쯤부터였으니까 거의 20년을 줄곧 엄마와 우리 가족만 바라보고 살았으니까. 딱 지금, 나의 나이가 그 당시의 아버지 나이쯤일 것이다. 서른 중반의 나이에 자식 둘과 함께 있는 네 살 연상의 엄마를 사랑한 그는 우리 가족이 되었다.

무뚝뚝한 누나와 나는 그에게 다정하지를 못했다. 아빠라고 부르는데도 한참이 걸렸다. 그런데도 그는 절대 재촉하거나 나무라지를 않고 우리를 기다려 주었다. 그저 바라봐 주었다는 표현이 맞을 것이다. 우직하고 든든하게 늘 우리 가족을 지켜주었다. 특히 우리 엄마를.

지금의 나는 사실 아버지의 영향을 많이 받았다. 성격이나 성향적인 부분이 특히나 그렇다. 타고난 기질이야 생부에게서 건너왔겠지만, 아버지와 더 많은 세월을 산 지금의 내게는 그의 영향이 더욱 클 수밖에 없다. 아버지를 닮을 수 있음에 감사한 마음이다.

당시 아버지의 나이를 지나고 있는 지금, 더 아버지가 존경스럽다. 나라면 그때 그런 선택을 할 수 있었으려나. 정말 사랑하는 사람과 그 아이들까지 사랑해 준 아버지. 나는 그에게 그만큼의 사랑을 주었을까.

젊은 나이에 자식 없이 뒤늦게 이 가족 구성원으로 합류해 이들을 책임지기 위해 부단히도 애썼을 아버지. 비록 붕괴하여 버린, 어딘가 구겨지고 부서진 가족일지라도 지키기 위해 그의 삶을 희생했을 어머니. 꿈 많고 하고 싶은 일 많았지만, 어릴 적부터 많은 것을 포기하고 취업 전선에 뛰어들어 돈을 벌었던 누나. 그에 비해 늘 받기만 하고 떼쓰고 어리광 부릴 줄만 알던 철없는 막내, 동생. 아마도 나는 가족 중 가장 그 역할을 충실하지 못했던 불량한 가족 구성원이었을지도 모르겠다. 늘 받기만 했으면서도 아쉬워하고 불평을 늘어놓으며 마치 그들을 위한 삶을 사는 양 잘난 체를 했다. 사실은 그들이 얼마나 자신을 아끼고 배려

했던 것인지를 삼십의 중반이 되어서야 어렴풋이 눈치
챘다. 예민하고 제멋대로 사는 고집불통인 아들과 동
생을 묵묵히 기다려 주고 믿어준 그들의 마음을 인제
야 조금은 알 것도 같다.

탐독

책을 읽고 있는 그의 모습을 멍하니 바라보았다. 이 순간의 그를 눈에 가득 담고 싶었다. 그가 내 앞에서 편한 자세로 책에 집중하고 있다는 사실이 감격스럽기도 했고 이 순간이 감사해 놓치고 싶지 않기도 했기 때문에.

각자의 삶의 가운데에 어떻게 이 사람은 이 시간, 이 순간에 내 앞에서 책을 읽고 있는가. 큰 눈을 깜빡이며 어떤 이의 책으로 여행을 떠나고 있는가.

내 옷을 덮고 있으면서 나에게 춥진 않은지 물어오는 그에게 괜찮다며 대답하는 나는 또 얼마나 우스운가. 사실은 카페의 찬 에어컨 바람에 다소 추우면서도 당당하게 아니라고 거짓말하는 나의 입이, 젓는 고개가, 웃어 보이는 내 눈이 또 얼마나 놀라운지.

어젯밤에 그렇게 헤어지기 싫어하면서도 또 그가 피곤한지 걱정되어 얼른 들어가서 쉬었으면 하는 모순과 또 다음 날 아침에는 잘 잤는지, 잠을 설치진 않았는지, 컨디션은 괜찮은지 물으면서도 서둘러 만나고 싶은 마음은 또 얼마나 이기적인가. 또 12시간이 채 지나지 않아 만났음에도 또 반가워 어쩔 줄 몰라 하고 혹여나 비 맞을까 집 앞까지 우산을 들고 가 기다리는 이 모습은 또 얼마나 가상한가.

아마 저 사람은 내가 이렇게 흘깃 훔쳐보고 있는지도 모르겠지. 그런 줄도 모르고 열심히 다른 이의 책을, 어떤 이의 세계를 탐독하겠지. 그 모습을 나는 또 당신을 이리저리 펼쳐보며 이 글을 마무리 짓고 얼른 그와 눈을 맞추며 웃음을 나눠야지.

이 순간을 오롯이 또 담아야지.

손 거스름

어느 날 문득, 손을 보다 손톱 아래 삐죽삐죽 각자의 개성을 뚜렷하게 드러내고 있는 손 거스름을 발견했다. 평소라면 그저 뜯어내 버리거나 귀찮아 그냥 두었을 텐데 괜스레 이 녀석들이 다르게 보였다. 가만 생각해 보니 내게 사랑이란 손톱 근처 일어난 손 거스름처럼 거추장스럽고 성가신 존재인 듯했다.

내 의지와는 다르게 갑작스럽게 발견하게 된 이 손 거스름이, 이 죽은 살이 그저 덜 고통스럽게 살갗을 떠나주기를 바라는 마음. 굳이 이 거스름을 없앤답시고 떼어내면 이내 그 자리에는 피가 나고 그렇다고 그냥 두기에는 또 계속 신경이 쓰이고 자꾸 눈에 밟히는 그런 존재. 사랑이란 매몰차게 모른척할 수도, 그렇다고 끌어안을 수도, 상처받고 싶지 않아 애초에 시작되지 않기를 바라면서도 이미 시작했다면 종내에는 안전하고 자연스럽게 사라져 주기를 바랐다.

마치 손 거스름이 그러하듯 사랑이 내게는 그런 껄끄럽고도 성가신, 내 일부였던, 이제는 나로부터 탈피해 달아나려는 이 살갗의 조각 같았을지도 모른다.

그가 집에서 손수 했다며 쑥스러워 하며 내민 손톱 위 예쁜 네일을 보며, 또 괜스레 만지작만지작 해보며 문득 생각에 잠긴다. 어쩌면 사랑이란 그가 가득 정성을 들여 했을 이 네일과 닮아있진 않을까. 네일숍에서 하면 비싸다며 집에서 손수 했노라고 부끄러운 표정으로 내민 그 손톱에 정신이 혼미해져 내 손톱 근처 거스름 따위는 어느새 관심도 없다. 그 존재마저 까맣게 잊을 수 있게 된다. 내 손의 거스름 따위 보다 그의 예쁜 손톱이 더 소중해지는 그런 마음. 이제는 그의 따스한 손이 못 난 내 손 위를 감쌀 때, 마치 나의 손의 거스름 따위는 이제 아무래도 괜찮다고 말해주는 것만 같았다.

손이 따뜻해 잠시 그 온기에 정신이 아득했다. 이제는 손거스름 따위는 아무래도 좋다. 마음껏 달아나 보라지. 사랑은 어떤 형태로든, 어떤 방식으로든 곁에 있었는데. 마치 손톱 근처 손 거스름이 존재하듯. 보통의 손톱과 손 거스름이 이제는 다소 특별하게 느껴지는 것처럼, 사랑이란 그런 걸까. 괜스레 손 거스름과 그의 손톱을 번갈아 가며 만지작만지작 해본다.

지금 내려도 될까요?

햇볕이 무덥게 내리쬐는 한 낮, 약속 장소에 가기 위해 분주하기 걸어 도착한 정류장. 얼마 지나지 않아 버스가 왔다.

기쁜 마음으로 버스에 올라타 카드를 리더기에 대었는데 이게 웬걸. 삑 소리가 나지를 않는 것이다. 원래 카드를 가까이 가져다 대기도 전에 소리가 나야 하는데 왜인지 모르겠지만 도통 소리가 나질 않았다. 이리 대고 저리 대고 반대로도 대보기도 했으나 마찬가지였다.

어쩔 수 없이 기사님께 정중하게 말씀드렸다. 카드가 찍히지 않는데 지금 내려도 될지 아주 조심스럽게, 운전에 방해되지 않도록 여쭈었다. 그러자 어디까지 가냐 물으시더니 그리 멀지 않은 목적지를 향한다는 나의 대답에 단호하고 명료하게 그냥 타고 가라고 하셨다. 다음에 버스 탈 때 내라는 말씀을 남기시며.

연신 감사함을 표하고는 맨 앞자리에 앉았다. 더운 날씨 탓인지, 당황했던 건지 흥건한 땀을 식히려 큰 창을 열었다. 시원한 바람을 쐬니 조금 정신이 들었다.

그러다 이내 조금은 이상한 감정이 들었다. 돈을 내지 않고 버스를 타고 있다는 죄스러운 마음과 이 더

운 날씨에 다시 집까지 다녀오는 수고를 덜어준 기사
님께 대한 감사한 마음.

같은 상황이라면 나는 그럴 수 있을까.
나는 처음 보는 이에게
이 정도의 관용을 베풀 수 있겠는가.

약속을 마치고는 집까지 걸어서 돌아갔다.
카드가 고장 나기도 했고
괜히 조금 걷고 싶기도 했다.

우리는 이 곳에서

가끔은 낯선 곳에서 더 마음을 터놓을 수 있을지도 모른다. 생경한 풍경과 어색한 사람들, 그 무겁게 가라앉은 공기 속에서 흔한 인사말조차 건넬 수 없을 것 같은 숨 막히는 곳에서도 갑작스럽게 문득 진심이 튀어나오기도 한다. 그리 가볍지도, 또 그리 무겁지도 않은 것들이 오가는 동안 그의 삶 어느 곳의 한 페이지를 잠깐 펼쳐 보고 잠시나마 들여다볼 수 있다. 오늘도 이름 모를 한 권의 책을 조심스럽게 펴 본다.

모임의 시작은 서로에 대한 간략한 소개로 시작되었다. 나를 표현할 수 있는 키워드들을 포스트잇에 적고 테이블 중간에 한데 모았다. 내가 적은 것들과 타인이 적은 것들을 적절히 섞어 편하고 자연스럽게 자신을 소개해달라고 했다. 서로가 미처 생각하지 못 한 키워드가 나오기도 하고 같은 단어일지라도 각자에게 다가오는 의미가 다르기에 꽤 유의미한 시간이 되었다.

어려울 수 있으니 먼저 시범을 보이겠노라고 하며 자기소개를 시작했다. 내가 고른 키워드는 퇴사, 우울, 관계, 대화와 같은 것들이었는데 일생 동안 지독히도 나를 괴롭히기도 했고 현재를 관통하는 것들이었다.

사실 이 키워드들은 한데 모아보면 하나의 이야기를 만들 수 있을 만큼 그 연결이 내밀했는데 소개해 보자면 이런 식이다. 퇴사의 과정을 설명하자면 우울을 빼놓을 수가 없고 그 연결점을 관계나 대화에서 찾을 수 있다는 것이다. 관계에서 자주 무너졌고 대화에서 자주 상처받았으며 회사 생활이 어려워지고 우울이 찾아왔다. 자연스럽게 이 회사에서 벗어나는 것을 생각하게 되었으며 그것은 퇴사라는 결과로 점철되었다는 식이다. 나를 소개하랬더니 퇴사 이야기를 소개해 버렸다.

이어 돌아가면서 소개했다. 다들 언제 그랬냐는 듯 자신을 곧잘 꺼냈다. 요즘의 근황부터 취향, 걱정이나 고민을 털어놓기도 했다. 같은 자리에 모인 우리는 각자의 삶을 가져와 한 편의 예고편을 내어놓고 있었다.

본격적으로 이야기를 나누는 동안 사람들의 눈빛에는 빛이 났다. 한정된 시간 사이에 각자의 이야기를 조금이라도 더 담아내기 위해 그들의 입은 부지런했다.

소리로 담아내는 글자들이 그들 삶의 일부분을 수놓는 동안, 잠시 그들의 이야기 몇 페이지를 들일 수 있었다. 그 페이지에는 그들의 흔적들이 이곳저곳에 남아있었는데 그것이 짙고 옅은 것과 관계없이 모두

아름다웠다. 아름답다는 의미는 나답다는 뜻이라고 하는데 그것은 마치 그들 자신과 같아 보였다. 모두가 각자의 삶을 써나가고 한 권의 책을 펴내는 동안 어떤 이야기를 써왔고 쓰고 있으며 앞으로 써나갈지 더욱 궁금해졌다.

모임은 예상 종료 시각을 훌쩍 뛰어넘어 거의 3시간이 지나서야 끝났다. 무슨 이야기를 해야 할지 걱정스럽던 모임의 시작과는 다르게 마지막은 다들 아쉬움이 가득했다. 각자의 이야기를 모두 털어놓기에는 터무니없이 짧은 시간이었다.

마음을 터놓을 수 있으려면 그리 거창한 준비가 필요 없을지도 모른다. 그저 우리에게 필요한 것은 함께 대화를 나눌 따스한 사람들과 모든 이야기를 수용할 용기가 필요한 걸지도.

앞으로 얼마나 많은 책들을 만나게 될까.
문득 만나게 될 페이지들이 더 궁금해진다.

실패해도 된다. 성공과 실패를 쉽게 굳이 구분 짓고 싶지는 않지만 성공이 내가 목표한 것을 이루는 것 딱 한 가지만을 의미한다고 가정한다면 그 과정에서 겪는 모든 일련의 과정들이 모두 실패라고 생각한다. 나는 실패를 부정적인 것으로 보고 싶지 않기 때문이다. 목표를 향해가는 과정에서 작고 큰 실패와 성공을 겪겠지만 이 모든 것이 결국에는 목표를 향해가는 '과정'이다. 나는 지금, 이 순간조차도 실패를 겪고 있다. 그래도 괜찮다. 이 모든 실패가 목표를 향해 나아가고 있다는 증거이니까.

독백 모임

"당연히 울 걸요?"

글쓰기와 연기를 통한 나를 돌아보는 시간을 가질 수 있는 모임이 있어 참여했다. 호기롭게 사람들에게 나 이런 모임에 참여하노라고 말하며 나는 당연히 울 것이라 말했다. 지극히 당연한 일이라고. 나는 울음을 터뜨리고 말 것이라고 웃으며 말했다.

모임에서 작성했던 내용과 대본을 남겨본다.

1. 지금의 내 모습과 되고 싶은 모습을 기록해 보세요.

되고 싶은 사람 : 무해한 사람

사람이 완벽할 수 없다고는 하지만 적어도 누군가에게 상처 주지 않을 만큼은 완벽하면 어떨까 생각하곤 한다. 뭐, 완벽하게 멋진 사람이 되고 싶다거나 완벽하게 대단한 사람이 된다거나 하는 것이 아닌, 단지 나는 모두에게 무해한 사람이 되고 싶다는 것이다. 무해함에는 여러 가지 해석이 가능할 것이다.

먼저, 나는 그 누구도 나로 인해 상처받지 않기를

바란다. 그것이 실수든 의도했든 간에 나에게로 출발한 말이나 행동으로 그 누구도 상처 입지 않기를 바라는 마음이다. 대게 상처받기를 의도하지는 않으니 어쨌든 절반은 성공인 셈. 그러나 실수에 대해서는 어찌할 방도가 없다. 실수란 것은 정말 내가 생각하지 못하는 순간에 나오는 것이니까. 최근 그런 일들을 몇 차례 겪으면서 사태의 심각성을 깨닫고는 다시 나를 돌아보고 있다. 어디서부터 잘 못 된 건가. 아니, 잘못의 기원을 찾기는 어려우니 그러면 어떻게 해야 하느냐에 그 초점이 맞춰져 있다. 그래서 책도 읽고 좋은 사람들과 대화도 나누며 느끼고 배우며 또 잘살아 보려고 노력한다.

또, 무해함에는 누군가에게 본보기가 되는 사람이 되고 싶다는 의미도 있을 것이다. 무해함을 넘어서 누군가에게는 어떤 도움이라도 될 수 있는 그런 사람이 되었으면 좋겠다는 마음. 내가 성인군자도 아니고 뭐 그 어떤 신적인 존재도 아니지만, 내가 좋은 사람들에게 얻는 것들이 있듯 나로 인해 그 누군가는 또 좋은 에너지를 얻을 수 있지 않을까. 그것의 정도가 어떠하든 간에 조금의 긍정적인 영향이 있더라도 그것은 그의 긴 삶의 영역에서 보았을 때는 작은 나비의 날갯짓처럼 큰 영향을 미칠 수도 있다고 생각한다.

결국에는 나는 좋은 사람이 되고 싶은 걸까. 좋은

사람이란 있는 걸까. 내가 헛된 꿈을 꾸고 있는 건 아닐까. 그런데도 나는 이 '무해한 사람'이 되는 것을 게을리하지는 않을 것이다.

2. 독백 대본

무해한 사람? 그게 너가 되고 싶은 모습이야? 그 이유가 너 자신을 위한 것 맞지? 과연 그게 가능할까 의심이 들기도 하겠지.

글쎄, 그게 가능하든 안 하든 네가 되고 싶은 그 모습을 난 응원해. 언제나 그래왔고, 앞으로도 계속 난 널 응원할 거야. 그 모습이 어떻든 상관없이 말이야.

넌 네가 원하는 건 뭐든 이뤄왔잖아. 아마도 그 무해한 사람이라는 것도 결국에는 네가 해낼 거라고 믿어. 또 결국에는 더 많은 사람에게 선한 영향력을 줄 수도 있겠지.

사실은 너 자신에게 먼저 그 선한 영향력이 발현되고 자연스럽게 뿜어져 나올 거야. 사람들은 너의 모습을 보며 생각하겠지. 아 저 사람은 정말 되고 싶은 모습대로 살고 있구나. 하고 말이야. 그래서 먼저 너 자신을 위해 무해해졌으면 좋겠어. 사실 넌 이미 무해한 사람이 되고 싶다고 마음먹은 순간부터 이미 무해해지고 있어. 앞으로도 응원할게!

이토록 하찮은

_퇴사 선언

오늘은 퇴사 선언을 했다. 그러니까 5월 16일 오전 11시 30분. 마지막일지 모를, 아니 이제는 마지막이 된 회사 마음 건강 센터 병원을 다녀왔다. 선생님과 상담하는데 쉽사리 잘 나오지 않을 것 같던 그 말이 튀어나왔다.

"이제는 회사를 그만할 때가 된 것 같습니다."
"그러시군요. 그 선택을 응원하겠습니다."

대화는 아주 간결하고 단순했다. 생각보다 이 퇴사 선언이라는 것은 이리도 가벼웠다. 나를 그렇게 옥죄고 있던 이 무거운 한마디가 이렇게도 쉽게 튀어나올 줄 누가 알았겠는가. 그렇게 내뱉고 나니 뭔가 마음 한쪽에 있던 묵직한 덩어리가 빠져나간 느낌이 들었다. 그동안 감사했다고 인사를 드리며 진료실을 나오며 문을 닫는 순간, 무언가 내 마음속의 어떤 다른 공간으로 들어가는 문이 끼익하고 열리는 기분이 들었다.

마음의 수많은 문 중에서 하나의 문이 닫히면 다른 문은 열린다고 믿는다. 아마도 모든 문이 닫히게 되면 우리는 더 이상 삶을 지속할 수 없을지도 모른다. 그래서 아마도 마음의 시스템은 어느 한쪽의 문을 의식적으로 닫더라도 무의식의 영역에서 다른 한쪽의 문을 열어두는 건 아닐지 하는 생각이 든다. 아무리 문을 굳게 닫고 자물쇠까지 채우더라도 이 문은 그 언젠가 다시 열릴지도 모른다. 또 다른 문이 열리고 닫히면서 그 연쇄작용을 반복하다 보면 어느새 그 두 문이 함께 열리는 날도 올 수도 있고.

그렇게 병원 건물을 나와 바로 그룹 스태프에게 전화를 걸었다. 나 이제는 회사를 그만두어야겠다고, 퇴사해야겠다고 그렇게 또 한 번의 '퇴사 선언'을 했다. 이제는 돌이킬 수 없는 이 말. 거침이 없어졌다. 한 번 물꼬를 튼 말은 기세를 몰아 마치 황소처럼 돌진했다. 그동안 수없이 되뇌던 이 썩은 말이 이제는 한 떨기의 꽃잎 같은 향을 품고 너풀너풀 입 밖을 향한다. 어둡고 습한 마음의 동굴에서 나와 너른 잔디밭을 노닌다. 스태프는 마치 기다렸다는 듯, 내가 이 분야의 전문가라는 듯이 아주 전문가다웠다. 인사과와 이야기해 보고 다시 연락하겠다고 했다. 맞다. 그렇지. 이 하찮고 보잘것없는 퇴사에 진심인 사람은 나뿐이었다.

이 소란스러운 마지막이 나에게만 소중한 거였다. 회사라는 한 시스템에서 나라는 개인은 그저 계약서라는 종이 한 장에 지나지 않다는 것을 새삼 깨닫게 되었다.

차에 올라타 한동안 멍하니 앉아 있었다. 딱히 슬프거나 우울한 건 아니었다. 그저 이제 뭘 해야 하나 싶어서 그랬다. 앞으로 뭐 해 먹고 살지라는 걱정보다 지금 당장 뭘 해야 하나 싶었다.

그렇게 있다 좋아하는 책방에 왔다. 그러고는 이 글은 쓰고 있다. 그냥 이 순간을 남기고 싶었다. 남기지 않으면 휘발될 것만 같은 이 감정을, 이 마음을 이렇게나마 남기고 싶었다. 누군가 나의 인생을 관찰하고 있다면, 영상으로 기록하고 있다면 정말 좋겠다. 이 순간의 영상을 남기고 싶은 마음. 딱히 기념할 만큼의 대단한 날은 아니지만 그래도 이 하찮고 보잘것없는 '퇴사 선언'의 순간을 마음에 담고 다시 내일로 향하고 싶기 때문이다.

_도망

　모든 정리를 마치고 나왔다. 사실 다 버리고 왔다
는 표현이 맞을 것이다. 정말 내 손에 쥐어진 것은 명
함 하나뿐이었다. 아 그리고 또 하나, 부장님께서 떠
나 있는 동안 물 주며 키우고 있었다는 나의 화분. 마
치 레옹처럼 이것을 옆구리에 끼고 나왔다. 그렇게 나
의 회사 생활은 끝이 났다.

　　　　　　　　　　2017년 12월. 추운 겨울.

　첫발을 디딘 그 순간부터, 나름 차려입고 온 셔츠
에 땀이 흥건해질 정도로 더워진 23년 5월을 끝으로
그 마지막 발걸음을 뗐다. 삶의 중심이었던 이 공간이
이제는 삶의 바깥 그 언저리쯤으로 밀려나게 되면서
한 보잘것없던 한 회사원은 그렇게 퇴사했다.

　마음이 울렁인다. 아마 점심을 안 먹었기 때문이
겠지. 혹은 너무 긴장했으니까 그렇겠지 싶다. 아니,
솔직히 고백하자면 목 놓아 울고 싶은 걸지도 모르겠
다. 애써 참고 있지만 오늘만큼은 진심으로 펑펑 울
고 싶은 걸지도 모르겠다. 왜 울어야 하는지, 왜 울고

싶은지도 모르겠지만 그냥 울음이 날 것만 같은 기분. 뭐, 딱히 아쉬운 게 있다거나 두렵거나 하는 감정은 아니다. 그저 그런 날 있지 않는가. 그냥 소리치고 싶고 울고 싶은 그런 날. 정말 방음이 완벽한 공간이 있다면 들어가서 한없이 울고 나오고 싶은 그런 기분. 얼른 이곳을 뛰쳐나가고 싶었다. 지긋지긋한 이 공간으로부터 해방되고 싶었다.

저녁 6시가 돼서야 회사를 나올 수 있었다. 혼자 있으면 더 힘든 것 같아서 자주 가던 책방으로 뛰어왔다. 회사를 도망치듯 나와 책방으로 도망쳐 온 것이다. 나의 인생은 매 순간이 도망이었는데 마지막의 순간도 역시나 그랬다.

이 도망이 언제고 지속될지는 모르겠지만 아마도 평생일지도 모를 이 도망을 나는 사랑하게 될 것만 같다. 무언가로부터 도망치는 것도, 그 도망을 부끄러워하고 또 다른 도망을 도모하는 것도 다 용기가 필요한 것을 이제는 잘 알기 때문이다. 앞으로도 얼마나 많은 것으로부터 도망칠지 모른다. 그러나 나는 이 도망을 기꺼이 맞으며 두 팔 벌려 환영할 것이다.

어느 날 문득, 다시

템플 스테이를 다녀왔다. 딱히 어떤 목적을 가지고 간 것은 아니었다. 단지 퇴사를 했고 뭘 해야 할지 몰라 방황하다가 이전부터 한 번쯤 가봐야지 했기에 무턱대고 예약했었다. 두 시 반에서 세시까지 도착하면 되는 일정이었는데 여유롭게 출발했기에 제시간에 도착할 수 있었다. 방을 배정받고 옷을 건네받았다. 기대하지 않았는데 옷이 정말 마음에 들었다. 몸에 꼭 맞는 듯 여유로운 품이었고 색도 감색으로 참 예뻤다.

옷을 갈아입고는 사찰을 둘러보았다. 고즈넉하고 따스한 느낌이 들어 괜스레 마음이 가지런해지는 듯했다. 햇볕도 좋고 맑은 새소리와 풀냄새도 좋았다. 의자를 발견해 앉아서 나의 책 <어느 날 문득 잘 살고 싶어 졌다>를 폈다.

사실 작년 책을 출간한 이후 나의 책을 읽는 것은 두 번째이다. 첫 번째는 고향을 가는 기차 안이었는데 한창 새로운 일에 대한 열망에 가득했던 때에 책을 펴냈을 때의 마음을 다시 돌아보고 싶어 읽었더랬다. 이번에는 퇴사한 후 다시 그때의 마음이 궁금했기도 했고 다시 읽으면서 천천히 마음을 정돈하고 싶기도 했다.

정말 오랜만에 펴 본 책을 읽으며 여러 가지 생각이 들었는데, 그중 큰 가지는 그때와 달리 지금은 상태가 아주 좋아졌고 삶을 지탱할 힘이 생겼다는 사실이다.

종종 페어를 나가 독자분들께 책 설명을 해드릴 때 '마음이 불안하고 우울할 때 글을 쓰기 시작했는데 약 3년여 쓴 글을 모아 엮은 책입니다.'하고는 했다. 작년, 그러니까 2022년 10월쯤 책이 나온 후 1년 정도 지난 지금, 이 설명을 따르자면 이 이야기의 시작이 벌써 4년 전으로 거슬러 올라가게 되는 것이다. 이미 나에게도 이 책은 과거의 한 장면이 된 것이다.

그러니까, 글을 쓰기 시작했던 그때. 나는 참 많이도 힘이 들었던 모양이다. 그래서 그랬을까. 글이 투박하고 날이 서 있는 듯했다. 감정을 날 것 그대로 토해내는 듯한 정제되지 않은 글에 가끔은 눈을 질끈 감기도 했다. 아마도 글을 쓸 때의 그 마음이 다시 떠올랐기 때문이기도 했고 이 글이 부끄러워 그렇기도 했다. 아무리 첫 책이라고 하더라도 이토록 글이 다듬어지지 않았었구나!' 하는 아쉬운 마음이기도 했다.

그런데 사실, 나에게 이 첫 책의 의미가 그러했기에 좋았다. 그 누구도 내 말에 귀 기울여주지 않는다면, 가장 들어주어야 하는 것은 자신이 아닐까. 바로 이 책이 내게는 그런 의미가 있었다. 그 누가 읽어줄지 모르겠지만 적어도 나는 이 책을 읽어줄 테니까.

책을 펴낸 후, 지금 두 번째 책의 한 부분의 글을 쓰고 있는 현재, 나는 여전히 이 책을 사랑하는 열렬한 팬이다. 그때와 다른 게 있다면 지금은 다른 마음으로 이 책을 읽고 있다는 것이다. 그때는 나 이렇게 힘들었노라고 징징대는 저자의 책을 안아주고 싶은 마음으로 읽었던 독자였다면 지금은 '그땐 그랬지' 하며 글을 쓴 저자와 그 당시 이 글을 읽었을 독자의 마음까지 다독여 주고 싶은 마음으로 읽는다.

그때의 내가 그토록
하고 싶고 듣고 싶었던 그 말들을
지금의 나는
나에게 하고 듣고 있을까.

나는 과연
지금을 잘 살아가고 있을까.

어느 날 문득 잘 살고 싶어졌던 마음이
이제는 또 어떤 이야기를 해주려나.

잘 사는 게 뭐냐고 물어보셔서요

자주 그런 질문을 받는다.
' 잘 사는 게 뭔가요?'

어렵다.
어느 날 문득 잘 살고 싶다고
외치고 다녔으면서 정작 잘 사는 게 뭐냐는
질문에는 이렇게 시원하게 답하기가 어렵다.

경인 방송 '사람과 책'이라는 라디오 방송에 섭외
되어 인터뷰를 했다. 질문지에는 '잘 사는 게 뭘까요?'
라는 질문이 있었다. 예상했지만 그래도 여전히 당황
스러웠다.

잘 살고 싶다면서
잘 사는 게 뭔지 나는 잘 알고 있나.
대체 잘 사는 게 뭔데?
잘 살고 싶은 건 잘 알겠는데
그거 어떻게 하는 건데?

라디오에 출연해서는 무책임하게도 이렇게 말했다.

"사실 저도 잘은 모르겠어요. 앞으로도 잘 모르겠지요. 그러나 제 기준에서는 말씀드릴 수 있을 것 같아요. 제게 잘 산다는 것은 '잘 살아남기' 같아요. 이 흘러가는 하루하루를 살아남는 것, 그리고 이런 하루를 쌓아 내일을 향하고 또 일주일, 한 해, 두 해 그리고 전체의 삶을 잘 살아남는 것 아닐까 생각해요."

잘 살고 싶다면서
어떻게 하는 건지도 잘 모르는 사람.

그래, 이게 가장 나를 잘 표현할 수 있는 표현일지도 모르겠다. 어쩌면 잘 모르니까 잘 살고 싶다고 외치는 걸지도 모르고. 원래 꿈이란 것이 그것을 이루기가 여간 쉽지 않기 때문에 '꿈'이라고 부르는 것은 아닐까. 어쩌면 이제는 나에게 꿈이 되어버린 잘 사는 일. 그 방법은 잘 모르겠지만 그래도 내게 꿈이 생긴 것부터 잘 살아가는 출발점은 아닐는지.

겁이 많아서 삽니다

겁이 많습니다. 뭔가 하려고 하면 늘 이 겁이 저를 가로막곤 하지요. 뭐 죽고 싶었는데 용기가 없어서 그러질 못했다는 무서운 이야기를 하려고 하는 건 아닙니다. 그저 겁이 많아서 산다고 말 하고 싶을 뿐입니다. 정말 겁이 많아서 살아가거든요.

겁이 많으니까 더욱 조심히 다니고 나를 더 지키면서 살아갈 수 있습니다. 조심성이 많다고 할 수 있겠지요. 또 겁이 많으니까, 사람과의 관계도 조심하게 됩니다. 소극적이게 되지요. 상처받을까 봐, 상처를 줄까 봐 겁이 나서겠지요. 그런 까닭에 마음이 힘들 때 연락할 곳 하나 없습니다. 이 사실이 가끔은 애석하기도 하지만 어쩌겠어요. 제가 선택한 길인걸요.

새로운 일을 앞두고는 또 어떤가요. 겁이 많은 저는 늘 망설이는 데에 많은 시간을 할애합니다. 아주 다양도 합니다. 잘할 수 있을까 늘 전전긍긍합니다. 그러다가 이내 '에이, 그만두자' 하는 허무맹랑한 결론에 도달하곤 합니다. 이 때문에 하지 못 한 일, 아니 하지 못하는 일, 앞으로도 영영 하지 못할 일투성이입니다.

그럼, 삶은 또 어떠한가요. 한때 이 세계에서 조용히 사라지고 싶었던 적이 있습니다. 아주 건방지고 몹쓸 병에 걸렸던 모양입니다. 누군가는 아주 허무맹랑하고 철없는 생각이라고 말하겠지요. 맞습니다. 그때의 감정이 우울인지 불안인지, 뭔지도 잘 모르는 상태로 그저 이 힘든 감정이 사라지기를 바랐습니다. 그것은 곧 나의 존재를 지우는 것을 의미했으므로 그냥 사라지고만 싶었습니다.

그러나 그때마다 겁이 났습니다. 사라지는 과정은 분명 두렵고 외로울 것임이 눈에 훤히 보였죠. 그리고 사라지고 난 후는 또 어떠한가요. 나를 지지하고 믿고 있던 사람들의 그 배신감은 또 어떻게 하고요. 나만 사라지면 다 끝나는 것이냐는 물음이 늘 다시 삶의 중심으로 돌아오게 했습니다. 모두 겁에서 비롯된 것이지요.

이런 겁쟁이는 아직도 겁을 두르고 살아갑니다. 가끔은 이 겁이 미울 때도 있고 때로는 감사할 때도 있습니다. 나를 곤란하고 외롭게도 하지만 동시에 지켜주기도 하고 삶을 지속하게 하기도 하니까 말이죠.

이 겁은 이제 지긋지긋하지만 도통 어쩔 수 없는 관계가 되어버렸습니다. 이제 싫거나 좋거나 이 겁과 같이 길고 긴 삶을 살아내야 하는 것입니다. 지겹다고 어찌할 수 있는 것이 아니지요.

　그래서 이제 이 겁을 인정하고 맙니다. 어느 순간
이든 함께 할 것임을 잘 알고 있다는 겁니다. 그러니
마음이 조금은 편안합니다. 겁이 날 것을 미리 알고 있
는 것과 모르고 있다가 갑자기 겁이 나는 것은 아주 큰
차이가 있으니까요.

　이제는 겁이 나면 슬쩍 웃어 보입니다. '그래 왔구
나. 이번엔 좀 늦었네.' 합니다. 언제고 올 겁이었으니
까요.

　이제는 이 겁을 조금은 즐겨보려고 합니다.
　나를 살리기도, 죽이기도 하는 이 겁을요.

쉽게 다룰 수 있는 마음은 없다. 저마다의 무게를 갖고 그만큼의 짐을 지고 있을 때가 있어서 쉽게 꺼내지 못할 때도 있다. 마치 지독하게 끈적한 접착제로 발라놓은 것처럼 진득하게 달라붙어 마음속 깊고 어두운 구석에 자리 잡은 것일수록 더욱 어렵다. 이때 강제로 그것을 바깥으로 끌어내기보다는 천천히 그 공간에 빛을 들이고 바람을 쐬어주려고 한다. 세상에는 이렇게 찬란한 빛도 있고 선선한 바람도 있다는 걸 자연스럽게 알아가기를 바라며. 다치기 쉬운 상태의 마음이 혹여나 상처 입고 영영 나오지 못할지도 모르니까. 때로는 강력한 힘보다 기다려주는 인내가 더 강력할 때도 있다.

걸어보자

묵묵하고 꾸준한 걸음으로 가는 이의 뒷모습이 퍽 쓸쓸해 보인 적이 있습니다. 그의 어깨가, 그의 등이, 그가 지나간 길에 남겨진 발자국이 괜스레 쓸쓸하고 외로워 보였던 적이 있습니다. 그래서 때때로 그를 애처롭다고 생각하기도 했습니다. 때로는 그의 그 걸음을 폄하하기도 했습니다. 그 조용한 여정을 무시하고 웃어넘기기도 했었습니다.

그러나 이내 깨달았습니다. 정작 쓸쓸한 것은 나 자신이었다는 것을요. 외롭고 애처로운 것은 다른 누구도 아닌 나였습니다. 그래서 그의 걸음을 폄하하고 그의 여정을 웃어넘겼던 걸지도 모르겠습니다. 그의 어깨가, 그의 등이, 그가 지나간 길에 남겨진 발자국이 모두 다 나의 것인 것만 같아서. 그를 응원하고 싶었지만 차마 그러지 못했던 것은 그의 여정이 사실은 다 나였음을 알고 있었기 때문이겠지요.

—

자주 러닝을 하는 코스의 반환점에는 쉬어 갈 만한 벤치가 놓여있다. 출발지에서 약 3킬로 정도 떨어진 지점인데 그곳에서 종종 쉬어가고는 한다. 어느 날,

운동을 하다가 잠시 앉아 쉬며 멍하니 앉아 내 앞을 스쳐 걸어가는 사람을 바라봤다. 천천히 그리 크지 않은 보폭으로 나아가는 그는 서서히 멀어져갔다.

왜 그랬는지 이유는 모르겠지만 정말 아무 생각 없이 그를 바라보게 되었다. 그는 눈치채지 못 한 사이 벌써 저만치나 멀어져 있었다. 그러다 어느 순간 점처럼 보일 정도로 멀어졌다. 그 순간 정신이 조금 들었다. 멀어져 간 그를 왜 멍하니 바라보았을까.

그런 생각을 했던 것 같다. 내가 이렇게 쉬는 순간에도 누군가는 저렇게 부지런히 그의 길을 묵묵히 걸어가고 있구나. 그가 누구인지, 그에게 어떤 사연이 있는지, 그가 가고자 하는 곳은 어디인지 나는 모른다. 그러나 한 가지 분명한 것은 묵묵히 걸어가는 이의 뒷모습에서 나의 뒷모습을 한 번 떠올려 보게 되었다는 것이다.

문득 궁금해졌다.
내 뒷모습은 어떨까?
누군가 바라본 내 뒷모습은
어떤 형태를 띠고 있을까?
애처로워 보이진 않을지
혹은 그 모습이 못 나 보이진 않을지
사실, 어떻게 보일지에 대해서는 별로 관심이 없

다. 다만, 어떻게 보이는지 궁금하다. 이 미묘한 차이가 헷갈리기도 하지만, 분명한 것은 타인의 시선이 중요한 것이 아니라 진실한 내 모습이 중요한 것이다.

나는 어떤 사람이 되고 싶은지
어떻게 보이면 좋을지
어떤 삶을 살고 싶은지.

네, 저 아파요

늘 듣는 말.
'우울은 마음의 감기와 같다.'

감기처럼 누구에게나 찾아올 수 있다는 것이다. 감기 걸리면 병원에 가듯 마음의 감기인 우울에 걸리면 병원에 가서 치료받아야 한다. 여기서 감기와 우울의 다른 점은 감기는 아무렇지 않게 병원에 가서 진료받지만 우울에 걸린 사람들이 병원에 가는 것이 참 어렵다는 것이다.

한참 회사 생활에 몰두하고 있을 때였다. 어느 순간부터 자꾸 고장이 나기 시작했다. 머리가 아프기 시작했고 술을 끊었다. 그래도 계속 아프기에 늘 먹던 커피를 끊어보았다. 그래도 여전하기에 두통약을 먹었다. 그 순간은 괜찮았지만 이내 다시 아파졌다.

어느 순간은 귀가 잘 안 들렸다. 먹먹하니 소리가 울렸다. 마치 목욕탕에서 들리는 소리처럼. 그러니 당연히 주변 동료나 선배의 말이 잘 귀에 들어오질 않았다. 어, 나 조금 이상하다 싶었다. 어느 날은 눈앞이 흐려졌다. 모니터가 잘 보이질 않아 일을 할 수가 없었다. 이제는 온전히 일에 집중할 수 없는 지경이 되어버린 것이다.

그제야 심각성을 깨달았다. 아, 나 더는 버틸 수 없구나. 용기가 안 났지만, 이제는 피할 수 없어서 찾아간 병원. 뭐, 우울, 불안, 공황 이런 진단이 나왔더랬다. 그렇게 휴직이 필요하다는 소견서를 받게 되었다.

그제야 이해가 되었다.
'아, 나 아픈 거였구나.'

받아들이기까지 참 오래 걸렸다. 인정하기가 참 힘들었다. 뭔가 고장 나고 잘못된 사람처럼 느껴졌기 때문에. 난 그냥 평범하고 정상적으로 살고 싶었을 뿐인데 왜 나는 이렇게 유난일까. 다른 사람들도 다 이렇게 살아가는 거 아닌가. 다들 조금씩 우울하고 아프지만 참고 살아갈 텐데. 왜 이렇게 참을성이 없을까. 마음의 감기라고 하는데 감기는 곧 낫잖아. 이 우울도 곧 나을 텐데.

그러나 이제는 나의 상태를 아주 잘 알고 있다. 이제 어디 가면 당당하게 말한다. 네 저 아파요하고. 담담하고 확신에 찬 표정을 하고서는 아픔을 고백한다. 뭐, 자랑은 아니지만 그렇다고 숨겨야 하는 것도 아니니까. 그리고 사실 상대가 알고 있었으면 해서 더 그렇기도 하다. 내가 아픈 것을 상대가 알고 있는 것과 모르는 것은 아주 큰 차이가 있으니까. 이해하고 공감해 달라는 의미가 아니라 혹여나 나의 아픔으로 인해 그가 받을지도 모를 상처에 대해 미리 사과하는 의미에 가깝다.

가령, 상대의 말에 예민하게 반응해 나도 모르게 거친 반응을 보였다거나 상대의 행동에 적절하지 못한 대응을 했다거나 하는 것들. 변명으로 들릴 수 있겠지만 정말 우울할 때는 말과 행동이 내 마음처럼 되지 않을 때가 많다. 그래서 실수도 잦고 경솔한 행동을 하기도 한다. 그래서 이제는 나의 아픔에 대해 깊게 이해하고 있는 사람들이 곁에 남은 것 같다.

이미 떠나버린 많은 이들을 절대 원망하거나 그때의 나를 비난하고 싶지는 않다. 단지 그들은 나의 아픔을 이해할 수 없었던 것이고, 나는 나의 아픔을 감당하지 못했다.

그래서 이제는 나의 아픔을 담담하게 고백한다. 그것을 극복해야 하는 것도, 감당해야 하는 것도 오로지 나임을 아주 잘 알고 있다. 그 짐을 타인에게 절대 떠넘기고 싶지 않다. 그저 이 담백한 고백이 상대와 나 자신을 위한 배려로 생각해 주면 고맙겠다.

이목구비 스마트하고 이뻐 깔끔해

한 번은 그런 적이 있다. 한 할머니께서 길을 헤매시며 혼잣말을 하고 계셔서 가만 들어보니 어딘가를 가야 하는데 찾지를 못하고 계시는 듯했다. 괜히 오지랖을 부려 어디 가시느냐고 물었고 할머니는 분명 이 근처에 상회가 있었는데 하시며 두리번거리셨다. 정확한 이름을 여쭤보고 지도 검색을 해보니 나오질 않아 여러 번 여쭈었는데 매번 그 이름이 바뀌어서 아무래도 정확한 명칭은 모르시는 듯하여 필요한 게 뭐냐고 여쭈었다. 묘목, 씨앗이 필요하다고 그걸 파는 곳을 이 주변에서 봤노라고 하셨다. 그래서 최대한 근처에 있는 장소를 물색해 이쪽으로 쭈욱 가시면 아마도 묘목 파는 곳이 나올 것이라 안내해 드렸다. 그러자 할머니는 빙그레 웃으시며 연신 감사하다고 인사하시며 "이목구비가 스마트하고 이뻐 깔끔해~"하셨다. 그 말이 참 마음속 깊은 곳에 자리했다.

잔나비의 '꿈과 책과 힘과 벽'이라는 노래를 들으며 집으로 돌아오는 차 안에서 괜스레 눈시울이 붉어졌다. 왜인지는 아직도 모른다. 어렴풋이 예상해 보자면 아마도 그동안 나를 미워했던 시간들이 떠올랐기 때문이 아니었을까.

나는 나의 이목구비는 얼마나 관심이 있었나. 얼마 동안이나 나를 방치하고 나 자신을 무시하고 깎아내렸을까. 처음 보는 할머니가 본 나는 이리도 괜찮은 사람이었는데 못 나게 만드는 건 나 자신이었다는 것을 조금은 알게 되었기 때문이었을 것이다.

'그 어릴 적 보았던 무덤덤한 그 눈빛을 우린 조금씩 닮아야 할 거야'라는 잔나비의 노랫말처럼, 나는 이제 그들의 눈을 닮아가고 있는 걸까.

어른이라는 것이 조금 더 나를 있는 그대로 바라보며 타인을 다정하게 바라볼 수 있는 존재이기를 바란다. 그 무덤덤한 눈빛으로 나를 담담하게 받아들이고 타인에게는 더 다정한 눈빛일 수 있기를 진심으로 바란다.

다 먹고 살려고 하는거지

왼 손바닥과 새끼손가락을 이어주는 그 마디 언저리에 약 2~3센티 정도의 흉터가 있다. 가끔 이 흉터를 보면 그때의 생각이 나면서 다시 삶을 충실히 살아야겠다고 다짐하곤 한다. 그 땐 그랬지하는 미화된 과거를 추억하며 그때를 떠올리는 일이 우습기도 하지만 정말 그 당시에는 진심으로 힘들어했다는 것은 틀림없는 사실이니까.

그러니까 그게, 스무 살의 중반의 어느 날이었을 것이다. 나는 대체 뭘까 하는 허무맹랑하고도 발칙한 탐구 정신을 갖고 호기롭게 날아간 호주에서 있었던 일이다. 열심히 딸기 따서 번 돈으로 두 달여의 학원 생활을 마치고 돈이 똑 떨어져 이제는 뭐 먹고 살아야 하나 걱정하고 있던 때였다. 같이 숙소 생활을 하는 동생이 본인이 하는 키친핸드(*설거지 일이다)일을 추천해 주어 바로 면접을 보러 갔더랬다. 뭐, 그리 언어 능력이 중요하진 않았기에 무리 없이 일을 시작하게 되었다.

그렇게 시작하게 된 설거지 일은 역시나 보통이 아니었다. 펄펄 끓는 물을 분사해 그릇의 음식물을 걷어내고 식기 세척기에 넣어야 했었는데, 이때 사실상 그

릇을 잡은 손에 뜨거운 물을 뿌리는 것과 마찬가지였
다. 늘 손이 익는 듯했고 일이 끝나고 나면 손이 아주
푹 찐 만두가 된 것 같았다. 그래도 괜찮았다. 돈을 벌
수 있다는 것에 감사하며 기쁜 마음으로 열심히 일했
다.

그러던 어느 날, 마감 청소를 하는데 쓰레기봉투를
버리기 위해 들어 힘을 주어 들어 올리려던 찰나, 봉투
의 아래를 받치고 있던 왼손의 느낌이 이상했다. 뭔가
뜨끈하고 짜릿한 느낌이 드는 것이 아, 이거 뭔가 잘
못되었구나 싶었다. 봉투를 내려놓고 확인한 왼손에는
이미 피가 흥건했다. 당시 웨이터들은 모든 것을 그냥
쓰레기 한 종류의 봉투에다가 버렸었는데, 그중 깨진
두꺼운 와인병 조각도 포함되어 있었다. 그 깨진 조각
에 그만 손을 다친 것이다. 뻘겋게 물든 손을 바라보면
서 바로 든 생각.

'아, 이제 돈 어떻게 벌지 망했다.'

당장 아픔보다 삶의 고단함이 먼저 느껴진 것이다.
당장 먹고 살 걱정이 육체의 고통을 눌러버린 소중한
경험이었다.

그때 제대로 치료를 받지 못해서 양팔이 감염되었다. 퉁퉁 붓고 진물이 나왔다. 당연히 손의 기능에 문제가 있었고 손가락 마디를 잘 움직일 수가 없었다. 일상생활이 불편한 것은 고사하고 당장 일을 할 수 없다는 게 가장 큰 문제였다.

최악의 상황에서도 먹고 살 걱정을 해야 했다. 더 이상 설거지 일은 할 수가 없었으니 지금 할 수 있는 일을 찾아야만 했다. 이곳저곳 일거리를 찾으며 지원서를 냈다. 연락이 온 곳에 면접을 갈 때 손을 최대한 감출 수 있도록 최대한 소매가 긴 옷을 입고 갔고 면접을 보는 내내 손을 감춰야만 했다.

당시 한국인이었던 매니저가 나를 좋게 봐준 덕에 일자리를 구하게 됐다. 휴대폰 액세서리 판매 및 수리점 일이었는데 어설픈 영어로 어떻게든 판매일은 할 수 있었다. 그러나 역시 문제는 수리일. 아픈 손에 대해 알게 된 매니저가 수리일을 위해서는 손을 치료받는게 어떻겠냐고 권했다. 그러나 당시 돈이 없었던 터라 치료할 수가 없다고 했다.

그러던 어느 날, 본사에서 내려 온 지침. 성과가 나지 않는 점원을 해고하라는 통보에 나를 가엾게 여긴 매니저는 기회를 한 번 더 주기로 했다. 액세서리 판매만으로는 수리까지 겸하는 다른 점원의 성과를 따라갈 수는 없는 노릇이었다. 손을 온전히 사용할 수 없었던 상황에서 이제는 더 이상 물러날 곳이 없었다. 결국 아픈 팔을 부여잡고 귀국을 택할 수 밖에 없었다.

호주에서의 시간들은 어느 생존의 터전에서 살아남는 방법을 터득하게 해준 아주 소중한 경험이었다. 1여년의 짧고도 긴 기간 동안 있었던 일들, 만났던 사람들, 지냈던 공간. 모든 것이 내게는 귀중한 삶의 한 부분이 되었다. 오로지 살아남기 위한 나날들 속에서 어쩌면 나는 생존 그 이상의 것을 발견했던 걸지도 모르겠다.

다시 한 번 왼 손 한켠 작은 흉터를 바라본다. 뭐, 사실 죽을만큼 아팠던 기억은 아니었지만 지금도 힘든 일이 있을 때 이 자그마한 자국이 버텨낼 힘을 준다. 맞아, 이 모든 일이 먹고 살려고 하는거지. 그래도 지금은 다행히도 멀쩡한 팔이 있고 오늘 한 끼 식사 먹을 여유는 있잖아한다.

사실

사실이라는 말을 자주 한다. 요즘 더욱 그런 것 같기도 하다. 사실 고백하자면 나는 자주 나를 숨긴다. 그래서 그런 걸까. 사실 나는 습관적으로 쓰는 건데 누가 들을 때는 마치 거짓말을 자주 하는 것처럼 보일 수도 있겠다 싶었다. 사실이 아닌 말을 스스럼없이 하는 사람. 사실 숨기는 게 참 많은 그런 사람. 사실 그냥 어, 음, 그러니까, 이건 그저 말과 말 사이 빈틈에 얼른 생각을 정리해 내뱉기 위한 하나의 간 투사일 뿐인데. 그리 큰 의미가 없는 추임새에 불과한데. 사실과 다르게 비칠 수도 있다는 사실이 사실 조금 애석하기도 하다.

영원한 건 없다. 괜한 영원을 바라며 기대하고 실망하는 어리석은 짓을 반복하고 싶지는 않다. 그렇다고 영원을 바라지 않을 필요도 없다. 모든 일이 잘되기를 바라지만 삶이란 것이 그럴 수 없다는 걸 아주 잘 알고 있는 것처럼 가끔은 믿을 수 없을 만큼 이 순간이 소중하다면 영원을 바라기도 한다. 그럴 수 없다는 사실이 중요하지는 않은 것이다. 그저 이 장면을 담아 어느 순간에 고이 간직하고 싶은 바람. 이런 시간 속에서 잠시 영원을 바라는 것은 영원할 수 없는 삶을 잠시라도 계속 흐르기를 바라는, 삶을 긍정하기 위해 괜스레 부려보는 투정 같은 건 아닐지.

할 수 있는 만큼만

딱, 할 수 있는 만큼만 한다. 하루에 내가 감당할 수 있는 무게만 진다. 그 이상을 하려하면 어딘가 꼭 탈이 난다. 비단 몸의 탈 뿐 아니라 마음도.

그래서 필요 이상의 무리를 최대한 하지 않으려고 한다. 글도 쓸 수 있는 만큼만 쓴다. 와 이건 써야해! 하면 쓰고 쓰다가 막히면 다시 내려놓는다. 구태여 쥐고 짜내어 글을 뱉어내지 않는다. 누군가와 약속을 잡거나 혹은 나 자신과의 약속도 그것이 감당할 수 있는지를 먼저 따져본다. 일에 있어서도 마찬가지다. 자신 없을 때는 과감히 포기한다. 설령 그것이 정말 중요하고 원하던 것일지라도 말이다.

뭐, 이게 누군가에게는 도망이고 또 누군가에게는 비겁한 변명이 될 수도 있다. 맞다. 사실 도망가는 거고 변명하는 거 맞다. 그런데 안 되는 걸 어쩌겠는가. 나도 안 하고 싶어서 그런게 아니라 정말 저히 그럴 에너지가 없다. 나도 어쩔 수가 없다는 것이다. 나는 앞으로도 계속 도망가고 변명하련다. 그것이 나를 지키는 일이라면 난 기꺼이 하겠다.

내 책을 보고

누군가 내 책을 보고 이렇게 쓰고 싶다고 한다. 그 말을 처음 들었을 때는 조금 당황했다. 아니 이 세상에 훌륭한 책이 얼마나 많은데요. 다시 한번 생각해 보세요. 그러지 마세요. 하는 말이 당장이라도 튀어나올 뻔했지만 참았다. 예전이라면 아마도 그랬을 것이다. 이 책을 내고 바로 다음 순간에 이런 말을(들을 수도 없겠지만) 들었다면 아마 이처럼 반응했을 것이다. 그러나 이내 입을 다물고는 연신 고개를 숙이며 감사하다고 했다. 몇 번을 반복해서 감사하다고 했다. 정말 감사했다.

첫 책을 내기 전 나는 어떤 한 작가를 참으로 흠모했었다. 그의 책을 책방에서 골라 읽고는 아주 팬이 되어버린 것이다. 그때 든 생각이 바로 '아 나도 이렇게 쓰고 싶다. 이런 책을 내고 싶다'였다. 그땐 참 막연했다. 그저 언젠가 내 이름을 건 책을 한 번 내보는 게 버킷리스트, 꿈 뭐 그런 거였다. 죽기 전에는 해봐야지 하는 그런 것 중 하나였다. 그런데 지금 내 이름을 건 책을 누군가 읽고 내가 한때 했던 말을 듣고 있자니 참 기분이 묘했다.

그는 자주 책방에 나타나고는 했는데 그때마다 내 책을 가방에서 꺼내며 오늘도 가져왔다고 했다. 또 읽을 거라고 했다. 우연의 일치인지 아니면 정말 그가 내 책을 몇 번이고 반복해서 읽고 있는지 확인 할 길은 없지만 정말 감사한 마음이었다. 나의 마음을 꾹 눌러 담은 이 책이 누군가에게 가닿고 그에게 또 하나의 목표를 세우는 데에 도움이 되었다는 그 사실 하나로도 이 첫 책이 이미 성공이라 할 수 있었다.

머지않은 날 그의 책이 나오면 진심으로 그의 팬이 될 것만 같다. 몇 번의 대화 속 그는 이미 한 권의 근사한 책이었다. 흩어진 그만의 낱말들이 둥실 떠다니고 있을 뿐 그라는 책은 이미 쓰이고 있었다. 그가 가진 수많은 단어가 놓일 이름 모를 그 책이 괜스레 기다려지는 밤이다.

사랑의 확장

혼자 글을 쓰다가 운 건 처음이었다. 힘든 일이 있기도 했거니와 글의 내용이 퍽 슬펐기도 했다. 무엇보다 사랑에 대한 글이었기에 더욱 그랬을 것이다. 사랑이라는 주제에 울컥 올라오는 감정을 주체할 수가 없었다. 주책맞게 훌쩍이며 누가 볼까 애써 눈물을 감췄다.

어느 순간은 사랑을 다신 하지 않겠노라 다짐하기도 했다. 가슴 절절한 사랑을 했다 자부했던 스물 초반의 애달픈 사랑에 실패하고서 내 두 번 다시는 사랑하지 않겠다 마음 먹었다. 그 누구도 믿고 싶지 않았고 마음 주고 싶지 않았다. 다 쓸모없다고 느껴졌다. 그러나 사랑은 어떤 형태로든 찾아왔다. 그것이 사랑인 줄도 모른 체. 그 이후로도 사랑 비슷한 것을 드문드문 해왔다. 그리고 매번 그 상실의 순간에는 내 다시는 사랑하지 않으리 노래를 불렀다. 경솔하고도 오만한 사랑의 초보였다.

또 어떤 사랑을 할지 모르겠다. 지금도 사실 사랑해야 하는 일이 없기를 바란다. 나에게는 이 사랑이라는 것이 꽤 힘든 일이기 때문이다. 그러나 요즘은 사랑

이 절실히 필요하기도 하다. 이 모순은 그 사랑의 개념
이 나의 삶에서 확장되었다는 의미일 것이다.

　　스물 초반의 가슴 절절했던 사랑.
　　이제는 내 삶과 나를 이루는
　　이 세계를 사랑하고 싶은 마음.
　　사사로운 것에 얽매이는 사랑이 아닌
　　자유롭고 너른 사랑을 하고 싶다.

나도 사랑을 하고 싶습니다

내게는 사랑이 없다.

사랑이 없으니 자꾸 어긋난다.

어딘가 자꾸 고장이 난다.

사랑이 없는 관계는 쉽게 부서진다. 길목에 떨어진 마른 낙엽들을 밟아 바스러지듯 파-삭.

사랑으로 가득한 관계야말로 진정 서로를 위해주고 오래갈 수 있다. 그런데 이게 참 어렵다. 애초에 잘 맺어지기도 어렵기도 하고 이미 이어진 관계도 금세 멀어지곤 했다. 자주 모나고 날 선 말과 행동에 상처 입고 또 상대에게 상처를 준다.

일을 할 때는 또 어떤가. 일을 진심으로 사랑하고 함께 일하는 동료를 사랑해야 한다. 다른 말로 표현해보자면 열정, 존중, 배려 등이 되겠다. 이 역시 사랑이 없다면 어려운 일. 어찌 사랑 없이 열정을 가지고 상대를 존중하며 배려하겠는가. 그런데 그런 사랑이 내겐 없었다. 그저 생존을 위한 행위였던 일터에서 사랑의 마음을 가지기란 쉬운 일이 아니었다.

가정에도 당연히 사랑이 있어야 할 텐데 나는 이 지점에서도 결핍이 있었던 듯하다. 어릴 적 부모님이 자주 다투실 때마다 나는 방 책상 아래에 들어가 몸을 웅크리고 귀를 막고 숨어 있었다. 얼른 이 상황이 끝나기만을 바랐는데 그렇게 정말 끝이 났다.

그 이후로 생부를 만난 적은 없다. 그에게 받았던 사랑도 관심도 지금은 기억나질 않는다. 중학교 때쯤, 지금의 아버지를 만난 엄마가 우리에게 새로운 가족에 대해 말했을 때 나는 비로소 사랑이 가득한 가정의 모습을 엿볼 수 있었던 것 같다.

모든 것의 원인에는 사랑이 있다. 이것은 비단 서로를 위하는 어떠한 감정 그 이상을 초월한 어떠한 신비로운 현상이다. 그런 사랑이 내겐 없으니 많은 것이 어렵게 느껴진다. 삶에서 마땅히 누려야 할 것들을 놓치고 어딘가 바람이 빠진 듯 공허한 기분. 아마도 내 삶의 많은 부분에서 사랑이 빠졌기 때문일 것이다.

모두에게 사랑이 있다. 나에게도 분명 사랑이 있을 것이다. 그러나 아직은 잘 모르겠다. 나를 진심으로 사랑하는 것부터 내 주변의 모든 것을 사랑할 수 있을까. 이 세상 사람들은 어떻게 다들 사랑하며 사는 걸까.

그들에게 간절히 묻고 싶다.

어떻게 사랑을 할 수 있습니까.

나도 사랑을 하고 싶습니다.

밤바다의 사람들

"그럼, 지금 가봐요."

밤바다를 갔다. 갑자기, 그냥, 다녀왔다. 낯선, 그러나 다정한 사람들과 함께 무작정.

시작은 계획형 인간과 그렇지 못 한 인간에 대한 이야기였다. 그렇지 못 한 인간은 계획적인 사람들에게는 신기한 존재였다. 떠나기 전 노트 빽빽이 계획을 세우는 그들에게 목적지도 불분명한, 목적 없는 여행이란 있을 수 없는 일과 같았다. 그렇게 무 계획형 인간은 무계획의 끝장을 보여주겠노라고 호언장담하며 운전대를 잡았다.

차 안에서는 끝없는 대화가 오갔다. 시끄러운 고속도로 위의 차 소음이 몽글 피어오르는 꽃망울을 막지는 못했다. 마치 미리 준비해 온 이야기를 풀어내듯 다양한 이야기를 나눴다.

도착한 바다. 아주 큰 풍력발전기가 우리를 맞아주었다. 조금 걸어가니 해변이 나왔다. 캄캄한 어둠 속에도 사람들이 몇 보였다. 어두워서 그들의 표정이 잘 보이진 않았지만 예상해 볼 수는 있었다. 아마도 평온하게 웃고 있었을 것이다. 일요일 밤늦은 시간에 밤바다를 보는 사람들이 찡그리고 있을 리 없을 것이라고 생각했다.

폭죽을 터트리는 사람들, 모래 위를 손잡고 걷는 연인, 나란히 세워진 오토바이들 앞에 자리를 잡고 앉아 무언가를 먹고 마시는 사람들.

그들은 곁을 지나가는 우리에게 조금의 관심도 없었다. 그저 그들은 그들만의 시간 속에 있는 사람들 같았다.

갑작스레 함께 떠나 온 사람들
그리고 도착한 곳에서 만난 사람들.

이 사람들은 모두 어떤 세계에서 살고 있을까.
한 치 앞 보이지 않는 바다에서,
그들은 어떤 세계를 품고 있었을까.
어떻게 한 세계와 다른 세계가 만나
같은 시간에 머물 수 있었을까.

밤바다와 사람들.

자세히 보지 않으면
보이지 않는 것들 사이에서 나는,
나는 어떤 세계를 살고 싶은 걸까.

고백하자면

무기력의 늪.

가장 안전하면서도 불안전한.

삶의 중심이자 바깥.

가장 편해야 하지만 가장 불편해지고 마는.

집에만 있으면 한없이 가라앉는다. 그래서 몸과 마음이 무거워지려고 하면 노트북을 가방에 쑤셔 넣고는 집을 뛰쳐나온다. 어디든 간다. 보통은 카페인데 가끔은 처음 가보는 곳을 가기도 한다.

사실 도망가는 거다. 자칫 더 깊은 곳을 향할 마음을 이끌고 동굴의 바깥을 향한다. 삶의 중심으로부터 멀어지려 애써보는 것이다.

무기력할 때는 불을 다 켜고 신나는 노래를 틀어도 샤워를 해도 맛있는 걸 먹어도 소용없다. 마치 늪에 빠지듯 자꾸 이불 속으로 파고든다.

요즘은 소파가 아주 늪이다. 우울이 심할 때, 한동안 침대에서는 도무지 잠이 들지를 않아서 소파에서만 잤다. 사실 이사 온 뒤로 침대에서 자 본 게 손에 꼽을 정도다.

고백하자면

나는 사실 집에서 더 우울하다.

집에서의 모습은 나 아닌 그 누구도 볼 수 없는 모습이니까 아무도 모를 테지. 거의 늪에 빠져 걸음을 뗄 수 없는 순간도 많다. 나는 가장 안전한 집에서조차 가장 나약하고 무너지기 쉬운 상태라는 것이다.

그러나 나는 그것을 핑계로 그 누구에게도 상처 주고 싶지 않다. 그렇기 때문에 다시 무기력의 늪으로 뛰어들고 만다. 더 깊은 곳으로 가라앉게 되더라도 상처를 주는 건 나 자신으로 충분하니까.

인생의 많은 것들이 인내와 기다림을 필요로 한다. 그 어느 것 하나 쉽게 예측할 수 없는 숱한 삶의 장면마다 그 어떤 기대도, 걱정도, 두려움도 없다면 우리는 과연 오늘을 지나 내일을 향하는 데에 마음을 둘 수 있을까. 모든 것이 예측 가능하다면, 그것이 인내와 기다림을 필요로 하지 않는다면, 과연 내일의 장면을 진심으로 맞을 수 있을까.

어느 날의 모닝 페이지

오늘도 아침에는 못 쓰고 뒤늦게 쓴다. 매일 아침에 써야 하는데 이게 참 쉽지 않네. 어쨌든 요즘 참 많은 생각이 든다. 음, 나의 부족한 부분, 고쳐야 하는 그런 근본적인 문제들이 더욱 부각이 되고 그런 것들이 더욱 마음 깊이 느껴진다. 그런 요소들로 인해 자꾸 관계가 어그러지고 상대가 상처를 받는다. 이건 분명 내 잘못이다. 아니, 잘잘못을 따지자는 것은 아닌데 정말 내 문제가 맞다.

늘 관계가 어려웠다. 성격의 모난 부분이 있고 그것이 늘 원만한 관계 형성에 큰 걸림돌이 되었다. 예전엔 독불장군처럼 나 혼자 살지 뭐 그랬는데 살다 보니 그것은 정말 현실적으로 불가능한 이야기였다. 이 세계에서 살아가기 위해서는 연결된 이 관계가 정말 중요했다. 대화를 나누고 생각을 나누며 자꾸 나를 점검하며 성장하고 자꾸만 나를 매만지며 고쳐나가야 하는데 이 과정이 괴로운 나머지 계속 미루어왔던 것 같다. 참 경솔하고 어리석었다고 할 수 있다.

30대의 중반 시점에서 다시금 나를 점검하고 자신을 고쳐내야겠다고 다짐한다. 공부하고 듣고 나누며 지금까지 쌓아 온 나를 깨고 부수며 처음부터 다시 재정의하는 시간을 가져야겠다.

분명 이 과정이 쉽지는 않을 것이다. 그러나 절대적으로 해야만 하는 일이다. 잘 살아가고 싶기 때문이다. 잘 살아가는 일에는 '모두'와 함께하고 싶은 마음이 포함되어 있기에 나는 정말 반성하고 성찰의 필요성을 느낀다.

좋은 사람은 되지 못해도 남에게 피해를 주는 사람은 되지 말아야지. 무해한 사람이 되어야지. 정말 삼십 대에 큰 과제 같은 느낌. 잘 해낼 거다. 늘 그래왔듯.

카드 지갑

"아, 아까워서 못 쓰겠다."

예쁜 카드 지갑을 선물 받았는데 더러워질까 봐 못 쓰겠다고 했다. 하얗고 까만 털실 재질로 된 것인데 평소 물건 관리를 잘 못 하는 사람인지라 딱 봐도 금방 더러워질 것이 분명했다. 그래서 도저히 아까워서 못 쓰겠다는 생각이 들었다.

가끔 새것을 보면 그런다.
'이거 쓸 수 있을까? 그냥 이 상태로 두고 싶은데. 쓰면 깨지고 헤지고 상하게 될 텐데, 그건 원하지 않는걸.'

그런 모습을 본 한 작가님이 그랬다.
"영원히 때가 안 탈 수는 없으니까요."

맞다.
영원한 건 없다. 새것은 이내 닳고 사용 흔적이 남기 마련이다. 아마도 이 카드 지갑도 어쩔 수 없이 그런 운명을 타고났을 테지.

작가님의 감사한 말씀 덕에
나는 이 카드 지갑을 편하게
사용할 수 있을 것만 같다.

준 사람도 건네받은 사람이
그런 마음이기를 바라는 것이겠지.

속 시끄러운 이야기

가끔 속 시끄러운 이야기들이 오가는 자리에서 듣고 싶지 않은 이야기를 가만 들어야만 하는 순간이 있다. 그 자리에 있는 것만으로도 괴롭고 마치 얻어맞는 것 같은 기분이 든다.

물리적 가격을 가하지 않았음에도 누군가에게는 이것이 폭력이 될 수 있다는 것이다.

괴로운 일에 어쩔 수 없이 놓여 있을 때면, 얼른 끝나기를 간절히 바랄 수밖에 없는 무방비 상태가 되고 만다.

때로는 나의 말에 누군가는 괴로워할 수도 있다. 새삼 진지한 표정으로 상대를 위하는 말을 해준다고 해도 상대는 그것을 고통스러워할지도 모를 일이다. 그것이 설령 그를 위하는 마음이었다고 해도 말이다.

등대

그 관계가 돈독할수록 두어야 할 적정 거리가 있는 것만 같다. 한없이 다가가다가도 어느 순간에는 제동이 걸린다. 더 이상 다가가면 위험해. 마음의 센서가 발동해 알람이 울린다. 그러면 거기서 멈춘다. 그 사람과 더욱 잘 지내고 싶기 때문이다.

때로는 잘 지내고 싶을수록 멀어지고 싶을 때가 있는 것이다. 그 적정 거리를 유지해 주면서 서로의 마음을 다치게 하지 않고 서로를 이해하고 보듬어 주는 그런 관계. 서로의 영역을 존중해 주고 그 선을 지켜주려고 노력하면서 더욱 가까워지기도 한다. 돌격만이 답은 아니다. 충분한 시간과 거리, 속도를 유지하며 조금씩 때에 따라 조절하며 그 관계를 조율해 나가는 유연함이 필요하다.

관계의 바다를 탐험하면서 적당히 멀고도 가까운 거리에 놓인 수많은 섬을 떠올려 본다.

각자의 섬에 있는 등대로 밝혀 준 길을 따라 오늘도 나는 겨우 나의 섬으로 돌아간다. 거친 대화의 바다 위를 부유하다가.

나는 누군가에게

가만 책을 읽다 보면 글을 쓴 사람의 말투가 그대로 글에 묻어난다는 생각이 든다. 특히 그 사람과 대화를 해본 적이 있다면 더욱 그렇다.

다정한 사람에게서는 다정한 느낌이 나고 따스한 사람의 문체엔 그 온기가 고스란히 전해진다.

한 작가의 책을 읽고는 문득 그 사람에 대해 궁금해졌다. 그러다 우연히 만나 대화를 나누어 본 그는 책 같은 사람이었다. 따뜻하고 진중하고 다정하고 수줍음이 많았다. 그와 나누는 대화는 늘 흥미로운 책을 읽는 것 같았다.

누군가 그랬다. 내가 그와 대화할 때는 눈빛이 다르다고. 초롱초롱 빛이 난다고 했다. 뭔가 들킨 것 같아 쑥스러웠지만 뭐, 사실이었다. 그와의 대화는 늘 즐거웠으니까.

문득 궁금해진다.
나는 누군가에게 어떤 글일까.
어떤 이에게 나는 한 권이 책일까.

어떤 의지로 살아가든, 어떤 마음을 갖고 지내든 그 마음을 고이 간직하기를 바란다. 지금의 내가, 현재를 살아가는 나라는 사람이 할 수 있는 최선을 다하면서. 훗날 돌아봤을 때 그때의 내가 부끄럽지 않도록. 삶이 주는 과제를 성실하게 풀어가며 쌓아갈 수 있도록 또 오늘을 착실하게 살아가야 하겠다.

그 어떤 삶도 계속 흐르니까

비록 보잘것없는 삶일지라도 계속 흘러간다. 그것의 총량이나 질 따위는 상관없이, 그것을 가장 깎아내리는 내 조그만 삶일지라도 말이다.

어떨 때는 그것이 참 무자비하게 느껴지기도 한다. 나는 이렇게 힘든데 세상은 아무렇지도 않다는 듯 무참히 흘러가 버리니 말이다.

또 어느 한 편의 다른 삶은 이렇게 행복해도 되나 싶을 정도로 아름다워 보이기도 한다. 마치 이 세상에 고통은 모두 사라져 버린 것만 같은 착각이 들 정도로 황홀에 퐁당 빠져버린 걸까.

나는 이제,
그 어떤 삶의 모습도 사랑하고 싶다.

잘 흘러갈 때는 달뜬 마음으로 진심으로 기뻐할 것이고 그렇지 못할 때는 조금은 시무룩한 표정으로 그저 흘러가는 대로 몸을 맡겨보기도 하련다.

그 어떤 때고 찾아올 난기류에 이리저리 흔들릴 테지만 나는 또 굳건한 마음으로 또 천천히 흘러가 보고 싶다.

제법 달뜬 요즘,

짧은 생의 여정에서
상승 기류를 타고
휠- 날아가고 있다고 믿는다.

이 기분 좋은 비행이 언제고
비바람을 만나 불안해질지는 모른다.

그저 지금,
나는 이 여행이
그저 흘러가는 이 삶이
참 좋다.

삶을 아로새기며

글을 쓰는 행위가 단순히 쓰기에 그친다면 나는 더 이상 글쓰기의 의미를 잃을지도 모르겠다. 또렷하게 삶을 기록하는 이 일은 자꾸만 나를 뒤흔드는 요소로부터 잠시 떨어져 삶을 조금 더 정교하게 다듬을 수 있게 한다. 나를 가르치고 이끈다.

어릴 적 방학 숙제로 썼던 일기가 생각이 난다. 방학이 끝날 때쯤이 되어서야 부랴부랴 일기장을 사서 밀린 일기를 썼다. 흘러가 버린 과거를 기억에 의존해 더듬어 내는 것은 고역이었다. 뭐, 내용이야 사실 기억의 조각을 붙잡아 살을 붙여 그날의 기분과 함께 보기 좋게 마무리하면 되었다. 그러나 스마트폰이 보급되기 전 그 옛날에는 날씨가 가장 문제였다.

'아, 이날 비가 왔었나…. 아 아니야 오다가 말았었던 것 같아.'

모두가 공공연히 알고 있는 날씨를 속일 수는 없으니 이것 참 곤란했다.

어쩌면 삶의 기록을 시작했던 때가 바로 그때였던 것 같다.

고등학교 3학년 시절의 글쓰기도 생각이 난다. 당시 대학 입시를 준비하며 글쓰기에 대한 지식이 없었는데 마침 당시 학교에서 유명한 논술 강사님을 초빙하여 강의를 연다는 소식을 들었다. 강의료가 무려 30만 원. 가난했던 고등학생에게는 당연히 부담스러운 가격이었다.

당시 학원 1층에서 팔던 컵떡볶이가 작은 컵이 300원, 큰 컵이 500원 할 때, 30만 원이라는 큰돈에 덜컥 겁이 났다. 그러나 늘 입시 불안에 떨던 시기에 '대학에 가기 위한 논술 대비반'이라는 제법 그럴듯한 마케팅에 홀랑 넘어가 버렸다.

강의를 신청하겠노라고 하고서 집엘 와서 이 사실을 전하자, 엄마는 제법 상기된 얼굴로 왜 상의 없이 그런 결정을 했냐고 하셨다. 예상치 못 한 반응에 크게 당황했던 기억이 난다. 아마도 엄마는 여유롭지 않던 형편에 생각지 못 한 큰 지출이 생겨 놀랐던 거겠지. 결국 나는 엄마의 도움으로 논술 수업에 참여하게 되었다.

그러나 그 수업이 그리 도움이 되었냐고 묻는다면 아니라고 하겠다. 입시만을 위한 글쓰기이다 보니 재미도 없고 그저 괴로움만 커졌던 것 같다. 사실 그렇게 논술 실력이 단기간에 늘지 않는 건 어찌 보면 당연한 걸지도 모르고.

비록 그 시작의 순간에는 내 의지대로 되지 않고 썩 유쾌하지 않기도 했을지 모른다. 그러나 매 순간 써 내려간 글은 앨범 속 한 장의 사진처럼 한 장면으로 삶의 한 페이지에 남는다.

이제는 삶의 일부가 되어버린 이 글을 쓰는 행위를 내 의지로 해나가고 있다. 뭐, 매 순간이 즐거운 것만은 아니지만 그래도 꽤 보람이 있다. 힘든 만큼 보상도 있다. 그것이 꼭 물질적인 것은 아닐지라도.

아마 이 힘든 여정은 앞으로도 계속될 것만 같다. 이제는 그 누구도 방학 숙제를 내주지 않는다. 입시라는 제도 속에 가두어 불안을 마케팅 삼아 글쓰기를 강요하지도 않는다. 그럼에도 나는 계속 쓰고 있다.

삶을 아로새기기 위해.
정교하게 마음을 다듬기 위해.
다시 또 새로운 한 장면을 남기기 위해서.

물속으로 뛰어드는 새를 보며

날 좋은 날 나선 산책에서 만난 새. 전력을 다해 물속으로 첨벙 잠수를 한다. 아마 먹이를 찾기 위함이겠다. 어디서 다시 떠오르려나 하고 가만히 지켜보는데 한참을 안 올라온다. 조금 있으니 저만치 먼 곳에서 물결을 일으키며 불쑥 솟아오른다. 입에 아무것도 물고 있지 않은 걸 보면 사냥에 실패한 모양. 숨을 조금 돌리던 그는 이내 다시 물속으로 뛰어든다. 몇 번의 시도를 지켜보다가 다시 제 갈 길을 갔다.

걷는 동안 아까의 장면이 자꾸만 맴돈다. 먹고 사는 일, 이 지독하고 괴로운 일이 모든 생명에게 주어진 공통의 과제라는 생각에 제법 서글퍼졌다.

인간이 먹고살기 위해 해야 하는 경제 활동과 저들이 깊은 물 속으로 뛰어드는 일이 다르지 않다는 것.

실패하고 무너지고 다시 시도하는 일련의 과정들이 생존을 위해 절대적으로 필요하다는 사실에 가슴에 크고 무거운 숨이 맺혀서 잠시 멈춰서 후-하고 내뱉었다.

아침에 일어나 침대를 벗어나는 순간 시작되는 지겨운 하루. 씻고 겨우 옷을 집어 들어 입고는 집을 나서고 마주하고 싶지 않은 사람들과 부딪히며 하고 싶지 않은 일을 하루 종일 하고서는 지친 몸을 이끌고 집으로 돌아와 다시 내일을 기다리는 일. 다시 반복되는 하루를 쌓아가다 보니 어느덧 훌쩍 보내버린 해를 세어보니 벌써 손가락이 제법 접힌다.

캄캄한 물속으로 뛰어드는 동안
나는 어떤 먹이를 찾았을까.
살아남기 위해 수없이 참아왔던 숨을
그 언제고 크게 뱉어낼 수 있을까.

퇴사 이후 제법 자유로운 시간을 부여받은 지금. 나는 그때와는 다른 물 위를 부유하며 다시 물속을 뛰어든다. 그 어떤 물고기가 잡힐지는 모른다. 아니, 물고기인지 그 어떤 먹이일지 나는 잘 모른다. 이제는 안정적으로 잡히는 먹이도 기대할 수 없다. 가끔은 이 수면이 너무 잔잔하고 고요하게 느껴질지도 모를 일.
그러나 나는 이곳을 좋아하게 될 것만 같다.

함께 하는 사람들과 이곳의 분위기.
고즈넉한 풍경.
그리고 이곳에 선 나.

오늘도 나는 부지런히 이 물속으로 뛰어든다. 먹고 사는 일이 이전과 크게 다르진 않다. 가끔은 배가 고프기도 하고 사는 게 고달프기도 하다.

그러나 자꾸만 웃음이 나는 이유는 뭘까?

다 저마다의 이유가 있을 텐데

저기 멀리,

자전거를 타고 가는 사람의 안장이 아주 낮다.

무릎이 거의 90도 이상으로

접혔다 폈다를 반복한다.

괜히 신경이 쓰인다.

'저러면 무릎이 아플 텐데....'

늘 거니는 길가에

얼마 전 흐드러지게 폈던 꽃들이

어느새 다 시들었다.

생기를 잃고 힘이 없다.

아마 요즈음 많이 내린 비가 괴롭혔던 탓일까.

괜히 아쉽고 그렇다.

한동안 지겹게 쏟아지던 비가

또 어느새 뚝 그쳤다.

이제는 그만 와도 되지 않으려나 했던

이 비가 곧 그리워질 것만 같다.

많은 일들이 저마다 이유가 있을 터.

안장이 낮은 자전거도.
금세 지는 꽃도.
뚝 그친 비도.

모두 저마다의 사연을 담고 있을 것이다.

가만 앉아 골몰하다
이내 다시 일어나 다시 달렸다.

내일을 향하는 힘은 내면으로부터 발현한다고 믿는다. 그러나 발아한 내면의 씨앗을 키우고 성장시키는 데는 외면의 다양한 양분이 필요하다. 나를 둘러싼 수많은 부정적인 영향들 속에서도 다시 내일의 아침을 맞이할 양분을 제공하는 영향을 주는 그런 존재들. 자꾸만 잘 자라나고 있는지 돌보아 주는 이들 덕에 또 내일을 향할 힘을 얻는다.

나는 무얼 위해 멈춰있는가

하염없이 끝도 없는 이 무기력에 잠식되어
멈춰 있었을 때, 비로소 깨달았다.
이건 어쩌면 내게 주어진 기회일지도 모른다고.

앞으로 나아가야 할 날이 더 많이 남았으니
지금 잠깐 쉬어가라고
또 살아온 날을 돌아보고 또 짚어보며
점검해 보는 시간을 가져보라고
잠시 시간을 가져보면 어떻겠느냐고
그 어떤 누군가가 내게 조언을 해준 것은 아닐까.

어느 날은 정말 하루 종일 아무것도
할 수 없을 때가 있다.
침대를 벗어나는 것도
일어나 물을 마시는 것도
배가 고파도 밥을 차려 먹는 것도
삶을 이어가는 행위조차 하기 힘들다.

'이것은 신호다.'

이제는 이 신호를 무시하지 않는다.

짧게는 하루, 길게는 일주일, 더 길어지면 한 달.
다시 괜찮다는 사인이 떨어질 때까지
재촉하지 않고 천천히 기다린다.

잘 알기 때문이다.
보챈다고 해결될 일이 아니라는 것을.
내 의지대로 되는 일이 아니라는 것을.

나는 무얼 위해 멈춰있는가.

'다시 움직이기 위해 멈춰있다.'

다시 침대를 벗어나
물을 마시고 밥을 먹고 싶어서.
또 집을 나서고
다시 사람을 만나고 싶기 때문에.
돈을 벌고 싶고 또 사랑도 하고 싶기 때문에.

나는 다시 살기 위해 멈춰있다.

잘 살고 싶은 마음

잘 살고 싶은 마음은 곧 이렇게 살고 싶지 않다거나 지금의 삶이 만족스럽지 않다는 뜻으로 해석될 수 있다. 그러나 이것은 만족과 불만족의 문제가 아니라 나를 부정하지 않고 있는 그대로 받아들이며 삶을 긍정하겠다는 작은 다짐과도 같다. 하루하루 살아내는 동안 숨 막히는 심연의 어둠으로 향하는 것이 아니라 좀 더 밝고 맑은 수면을 향하겠다는 숭고한 의지인 것이다.

오늘을 긍정하고 살아남아 내일을 향하는 일에 최선을 다하는 것이 곧, 잘 살아가는 일의 시작이라 굳게 믿고 싶다. 할 수 있다는 믿음은 때로 굉장한 힘을 발휘한다.

어쩌면 괜찮을지도 모르겠다

내가 지금 이 순간에도 하고 있는 수많은 걱정과 고민들 속에서도 나는 잘 살아남고 있으며 또 그럭저럭 하루를 보내고 내일을 맞는다. 평생을 무거운 생각을 떠안고 살더라도 어쩌면 나는 또 그럭저럭 괜찮은 삶을 살아갈지도.

그 옛날 아무 걱정 없이 뛰놀던 곳을 다시 가보았을 때 그곳이 변함없이 그때의 풍경들을 간직하고 있는 것처럼, 훗날 나도 지금의 나를 돌아보았을 때 이때도 여전히 괜찮았구나 하고 웃으며 추억할 수 있다면 그것은 또 그것대로 참 괜찮은 삶일지도.

그러니 걱정과 고민은 좀 덜고 긍정적인 것들을 더 채워나가도록 노력해야지.

늘 함께 공존하는 것들

소란과 침묵.
고요와 요란.
평온과 불안.

늘 함께 공존하는 것들.

우리의 거리

우리의 거리는 딱 이만큼.

마치 보이지 않는 선으로 굳게 그어놓은 것처럼
그렇게 일정 거리를 유지하며 대화를 나눴다.

당신은 그곳에,
나는 이곳에 가만히 서서
서로의 삶에 관여하지 않은 채
딱 그 정도의 관심만을 갖고
서로의 안부를 물어주고
서로의 인생을 존중하면서.

그냥 빨리 잠들고 싶다. 괜히 마음이 공허해지
고 우울해지는 날에는 그렇다. 스위치를 눌러 꺼버
리듯 그렇게 눈 감으면 팍하고 정신이 꺼져버렸으
면 좋겠다. 훌쩍 사라져 버리고 싶지만 그럴 수 없
으니까 잠으로 도망가고 싶은 마음. 남들은 꿈을 좇
는다는데 나는 또 다른 꿈을 좇는다. 오늘도 쉽게
잡히지 않는 꿈을 좇는다.

에

당

마

음

신

의

를

가

닿

기

감사 인사

　첫 책을 낸 지 어느덧 1년이 훌쩍 지났네요. 모두 안녕하신지요. 저는 나름 잘 지내고 있습니다. 그간 전하지 못 한 말을 이 짧은 글을 통해 전합니다.

　<어느 날 문득 잘 살고 싶어졌다>라는 책은 제가 마음이 가장 힘들었을 때부터 쓰기 시작했던 글을 모아 엮은 책입니다. 책 만들기 클래스를 통해 세상에 내놓게 되었지요. 훌륭한 선생님의 지도로, 멋진 동료들과 함께 즐겁게 작업할 수 있었습니다.

　그때부터였을까요.
　제가 서서히 우울의 바깥을 향하게 된 것이.

　이리저리 조합해 써 내려간 머릿속을 맴돌던 생각들을 한 권의 책으로 만나는 일은, 마치 나 자신을 멀리서 지긋이 바라보는 것만 같은 기분이 들었습니다. 뭐가 그렇게 힘들었고 괴로웠는지 어렴풋이 이해하게 되었달까요.

그런데요. 신기하게도 많은 분이 이 책을 읽어주셨습니다. 1쇄 본이 다 소진이 되어 2쇄를 찍었을 정도로요. 정말 감사한 마음입니다.

사실, 첫 책을 만들고 난 바로 직후에는 얼떨떨했습니다. 한 권의 책이 된 내 마음을 들고 있자니 괜스레 감동스럽기도 했지요.

그런데 나를 가장 위로해 주고 싶어서 만들게 된 이 책이, 나아가, 많은 분께 가닿고 또 새로운 마음과 이야기들을 남긴다는 것이 제게는 더 감격스러웠습니다. 내 보잘것없는 이야기가 누군가에게는 큰 힘이 될 수 있다는 사실은 다시 저를 살게 했으니까요.

다시 한번 이 글을 빌려 감사 인사를 전합니다.

덕분에 지금 보고 계시는 이 두 번째 책을 만들 수 있었습니다. 많이 물어봐 주셔서요. 그래서 지금은 잘살고 있느냐고. 어떻게 지내느냐고. 그에 대한 답이 어느 정도 될 수 있기를 바랍니다.

잘 살고 싶은 마음을 줄곧 외쳐대는 사람의 현재. 그런 거 어떻게 하는지 잘 모르겠지만 어찌 되었든 그 마음만큼은 진심인. 그런 사람의 이야기.

어느 시간에, 어떤 방식으로, 왜 만나게 되었든, 제 삶의 일부가 되어 준 모든 분께 감사한 마음을 담아 이 책으로 대신 전합니다.

늘 건강하고 행복 가득하시기를 바랍니다.

당신의 마음에 가닿기를.
두루 올림

우울의 바깥을 향하며

초판 발행 2023년 11월 11일

지은이   두루
편집   두루
표지 디자인 개띠랑
펴낸곳   개띠랑
출판등록   2022년 09월 14일

인스타그램   @from.duru @gaeddirangverse
전자우편   duruburi@naver.com
            gaeddirang085@naver.com

ISBN   979-11-980169-7-3 (02800)